Pat Fosarelli

Acompañando a niños con enfermedades graves... y a sus familias

"Cuanto hagan
por el más pequeño de ellos..."

Grupo Editorial Lumen

Buenos Aires - México

Colección: **Claves para la familia**

Coordinación gráfica y diseño: Lorenzo D. Ficarelli

Título original: *Whatever You Do for the Least of These.*
Ministering to Ill and Dying Children and Their Families.

© 2003 by Patricia Fosarelli. Publicado en Inglés por Liguori Publications, Liguori, Missouri, E.E. U.U.

Imprimi Potest: Richard Thibodeau, C. Ss. R., Provincial de Denver, Redentorista.

Fosarelli, Pat
  Acompañando a niños con enfermedades graves y a sus familias : cuanto hagan por el más pequeño de ellos - 1a ed. – Buenos Aires : Lumen, 2004.
  144 p. ; 22x15 cm.

  ISBN 987-00-0474-1
  Traducido por: Alicia Lorefice

  1. Pastoral Cristiana-Niños Enfermos I. Lorefice, Alicia, trad. II. Título.
  CDD 248.86 054

© Editorial Distribuidora Lumen SRL, 2004.

Grupo Editorial Lumen
Viamonte 1674, (C1055ABF) Buenos Aires, República Argentina
4373-1414 (líneas rotativas) • Fax (54-11) 4375-0453
E-mail: editorial@lumen.com.ar
http://www.lumen.com.ar

A todos los niños enfermos
que he asistido
en pediatría y en ministerio,
y a sus familias.

Índice

SEGUNDA PARTE: Consideraciones especiales

Introducción

¿Para qué necesitamos
un libro de este tipo?

En mi experiencia como pediatra, he estado con muchos niños enfermos, algunos en estado terminal, y con sus padres. Frecuentemente, sucede que cuando me encuentro en la habitación del hospital, llega un acompañante o una visita pastoral (ordenado o laico). Con demasiada frecuencia, el visitante, al entrar, saluda a los padres y al niño; pero, luego, casi siempre centra su atención exclusivamente en los adultos, a pesar de que es el niño quien está enfermo.

Esto puede que no genere problemas con niños muy pequeños, pero no sucede lo mismo con niños en edad escolar y adolescentes, quienes se sienten dejados de lado cuando el visitador se dirige a la gente "importante": sus padres. Perfectamente capaces de expresar sus propios sentimientos, estos niños o adolescentes con frecuencia se retraen en un silencio sepulcral cuando el acompañante finalmente dirige su atención hacia ellos.

Como me dijo una vez un niño: "Detesto cuando la gente dice que viene a verme, y cuando está aquí sólo habla con mi madre." O como un niño de once años que gritó: "¡Yo soy el que está enfermo! ¿Por qué la gente ni siquiera me mira? ¿Acaso soy tan feo?"

La mayoría de los adultos, por supuesto, no quiere relegar al niño o al adolescente enfermo; simplemente no sabe qué hacer o qué decir frente al mismo. Al fin de cuentas, ¿cuáles son las palabras apropiadas para dirigirse a un niño de diez años que acaba de quedar paralítico? ¿Cuál es el comentario pastoral que uno puede hacer a un niño de ocho años que está por morir? Lamentablemente, la mayoría de nuestras escuelas de teología y seminarios no dictan clases sobre la capacidad de comunicarse con niños, ni siquiera bajo circunstancias normales, menos aún frente a enfermedades catastróficas o lesiones. Muchos agentes pastorales que a su vez son padres confían en sus propias experiencias, pero éstas se limitan a la edad y sexo de sus propios hijos. Otros nunca han tenido hijos o prácticamente no han tenido contacto con niños.

Además, muchos reaccionan ante un niño o un adolescente enfermo, lesionado o con un estado terminal, como si fueran sus hijos los que están en esa situación. Ésta es una reacción totalmente natural. Los padres y familiares que aman a sus niños y adolescentes se preocupan mucho por ellos. El solo hecho de pensar que algo terrible puede sucederles a sus hijos produce una perturbadora reacción dentro de ellos que los conmueve profundamente. Esto sucede, particularmente, si el niño o el adolescente posee la misma edad o el mismo sexo, o su apariencia y características son similares a las de sus hijos.

Creo que este libro puede ser de gran ayuda. He sido pediatra durante un cuarto de siglo, y a lo largo de mi carrera he cuidado a numerosos niños y adolescentes con enfermedades graves o crónicas. He permanecido junto al lecho de niños terminales mientras se debatían en la transición entre esta vida y la próxima. Además, mi tesis doctoral sobre el ministerio, acerca del desarrollo espiritual de niños, tanto en la salud como en la enfermedad, me permite vincular el mundo físico de niños enfermos o moribundos y sus familias con su mundo emocional y espiritual.

Me acerco a ustedes como alguien que debió informar sobre estados terminales a padres y a niños por igual. Me acerco a ustedes como alguien que ha sostenido las manos de padres que debían observar cómo se consumía la vida de sus hijos. Me acerco como alguien que ha permanecido junto al lecho de niños y adolescentes agonizantes cuando los padres estaban ausentes.

Ninguna muerte es fácil. Aunque mi fe me asegura que la persona que muere pasa a una vida mejor, la pérdida de un niño o un adolescente como pérdida de una persona de este mundo, como miembro de una familia y de nuestra sociedad, duele. La muerte de un hijo pequeño o de un adolescente viola la concepción humana del orden natural de las cosas, principalmente que los mayores mueren antes que los jóvenes.

Dicho simplemente, un libro de este tipo es necesario porque hay muy poco material a disposición de los acompañantes y agentes pastorales (ordenados o laicos) que pueden ser llamados a representar a sus iglesias junto al lecho de niños y adolescentes. Somos llamados a auxiliar a nuestros hermanos y hermanas en la necesidad, incluso a los más pequeños. No podemos ejercer nuestro ministerio con verdadera efectividad si no podemos encontrarnos con los niños y sus familias "donde ellos están". Para poder hacerlo, debemos saber algo acerca de las etapas de desarrollo emocional y espiritual de los niños (y sus familias), tanto en la salud como en la enfermedad. Los capítulos de este libro se concentran en las diferentes etapas de desarrollo de cada edad, las cuales deben ser bien comprendidas. Puede ser embarazoso para un agente pastoral, y humillante y confuso para el niño o para el adolescente, que las expectativas de desarrollo no se adapten a la realidad.

Este libro no intenta convertir a nadie en un experto del desarrollo de un niño y de la dinámica familiar. Sólo un largo estudio, la experiencia directa con niños y sus familias, y la gracia de Dios, pueden brindar a uno un cierto grado de pericia. Así pues, este libro expondrá a los acompañantes los temas más importantes que enfrentan niños y adolescentes de distintas edades cuando sufren una enfermedad, una lesión o un estado terminal. Además, destacará cuestiones que deben afrontar padres y hermanos en dichas circunstancias. Brindará consejo sobre qué debería y qué no debería hacer. Y sugerirá oraciones o servicios, de acuerdo con el grado de desarrollo del niño y las necesidades de la familia.

Cuestiones de teodicea

Trabajar con niños y adolescentes (y sus familias) que están atravesando desafíos aparentemente infranqueables, en el caso de enfermedades y lesiones catastróficas, siempre parece traer a primer plano ciertos temas teológicos. Las más notables son las cuestiones de teodicea, o por qué Dios permite que el mal exista. *¿Por qué consiente Dios que sufran niños y adolescentes?* Esta pregunta, al iniciar mi carrera como médica, me dejó tan confundida y enojada que no fui a misa durante nueve años. Al ver a tantos niños y adolescentes morir, hermosos seres humanos (algunos de los cuales no eran mucho más jóvenes que yo en ese entonces), me preguntaba quién era y dónde estaba Dios en medio de toda esa aflicción.

Para la humanidad, ésta no es una pregunta nueva. Encontramos dicha pregunta formulada en las Escrituras de diferentes religiones del mundo, así como también a lo largo de la historia humana, especialmente durante plagas, guerras y hambrunas. La pregunta ha sido formulada de diversas maneras, incluso en la narrativa clásica. Tal vez uno de los planteos más famosos sea el que aparece en *Los hermanos Karamazov* de Dostoievski. En el capítulo "Rebelión", el cínico Iván mantiene una intensa discusión con su piadoso hermano Aliosha acerca de la fealdad de la naturaleza humana. Luego de referir varios ejemplos de espantosas acciones cometidas contra los niños, le dice:

> Pero ¿y los niños? ¿Qué hay que hacer con ellos? En estos momentos soy incapaz de resolver esta cuestión. Lo repito por centésima vez: existen muchísimas cuestiones, pero sólo quisiera resolver, por ahora, la de los niños. Ésta es la que he expuesto, porque lo que tengo que decir acerca de ellos está revestido de claridad

meridiana. Atiende: si todos hemos de sufrir
para ganar con nuestros sufrimientos la eterna
armonía, ¿para qué meter en ello a los niños?
No se comprende por qué deben sufrir también
ellos. ¿Por qué deben comprar a ese precio la
eterna bienaventuranza, si son completamente
inocentes? ¿Por qué deben servir también de ci-
mientos para la armonía futura? [...] Por eso rechazo categóricamente la idea de la armonía
universal. No vale ni la más pequeña lágrima de
uno solo de los niños torturados...

Como médica joven y recién graduada, al igual que
Iván yo estaba profundamente angustiada y me repetía
a mí misma: "Si yo puedo ver que está mal que los niños sufran, de tener el poder para detenerlo, lo haría;
entonces, ¿por qué Dios no hace algo? Después de todo, Dios es todopoderoso y todo misericordioso, y yo
ciertamente no lo soy. Sin embargo, puedo ver lo que
necesita hacerse. ¿Dónde está Dios? ¿Quién es ese
Dios?

Sería subestimar la realidad decir que este tema me
produjo dolor. Siempre fui una niña muy religiosa, crecí
con la idea de que Dios me amaba y quería lo que era
bueno para mí. Además, yo creía que Dios amaba a todas las personas y que Él quería lo que era mejor para
todas ellas. La crisis que atravesé en la escuela de medicina al ver resucitaciones sin éxito de niños golpeados
por los padres, las vidas torturadas de criaturas prema-
turas que luchaban por poder dar su siguiente respiro, y
el inmensurable sufrimiento que sobrellevan muchos niños debido a los tumores que padecen y los tratamientos médicos o terapias a las que deben someterse para
combatirlos, me estremeció en lo más profundo de mi

ser. Si yo podía estar tan conmovida, ¿por qué no lo estaba Dios? Solía pedir a un Dios en quien no estaba muy segura de creer: "Arréglalo, ¿quieres?"

Ahora soy bastante mayor. Aún no tengo la respuesta de por qué Dios permite que los niños sufran (o cualquier ser humano para el caso). Y si bien ahora ya no *necesito* la respuesta, todavía deseo que el sufrimiento desaparezca. Con los años aprendí que no puedo esperar que Dios se aparezca como un genio y corrija todas y cada una de las situaciones. Llegué a comprender que, en cierto grado, *mi* presencia era la respuesta de Dios a las plegarias de la gente; llegué a comprender que estaba siendo invitada a trabajar con Dios para ayudar a curar a la gente. Dios ha creado a los seres humanos con inteligencia y corazón, y por ello nos invita a todos nosotros a ser cocuradores y cocreadores de nuestro mundo. Podemos libremente emplear nuestra voluntad en curar o en hacer daño. Podemos ayudar a nuestros hermanos y hermanas a buscar a Dios, o, a través de nuestras acciones, podemos hacer que la presencia de Dios (e incluso su existencia) parezca remota. La elección es nuestra. Podemos tomar o rechazar el ministerio de Jesús como modelo de nuestro propio ministerio, un ministerio abierto tanto a adultos como a niños.

Jesús y los niños

Los tres Evangelios sinópticos relatan la historia de Jesús y los niños. Cito aquí la versión del Evangelio según san Marcos porque es el que describe más gráficamente la reacción que tuvo Jesús cuando sus discípulos rechazaron a los niños:

Le acercaban unos niños para que los toca-
ra, pero los discípulos los reñían. Mas Jesús, al
ver esto, se enfadó y les dijo: "Dejad que los niños vengan a mí, no se lo impidáis, porque de
los que son como éstos es el Reino de Dios. Yo
os aseguro: el que no reciba el Reino de Dios
como niño, no entrará en él." Y abrazaba a los
niños, y los bendecía poniendo las manos sobre
ellos (Mc 10, 13-16).

En el capítulo anterior, Jesús había señalado otro
punto sobre los niños.

(Jesús preguntó a sus discípulos) "¿De qué discutíais
por el camino?" Ellos callaron, pues por el camino habían discutido entre sí sobre quién de ellos era el más importante. Entonces [...] les dijo: "Si uno quiere ser el primero, sea el último de todos y el servidor de todos." Y
tomando un niño, lo puso en medio de ellos, lo estrechó
entre sus brazos y les dijo: "El que reciba a un niño como éste en mi nombre, a mí me recibe; y el que me reciba, no me recibe a mí sino al que me ha enviado" (Mc
9, 33-37).

Jesús consideraba que los niños *eran* importantes
porque ellos son los que se encuentran más próximos al
Reino de Dios. Ésta no fue una reacción sentimental de
Jesús, sino una aguda perspicacia. Todo lo que poseen
los niños les ha sido otorgado. Lo mismo ocurre en el
caso de los adultos, pero nosotros continuamos enga-
ñándonos a nosotros mismos pensando que lo que somos lo hemos logrado por esfuerzo propio, o que nos
hemos "ganado" lo que poseemos.

Los niños *saben* que dependen de los adultos para obtener alimento, protección, cuidado y afecto. Como tales, se acercan con las manos vacías, confiados en que aquellos que los aman los proveerán. En otras palabras, confían. En lugar de rechazar a los niños, los discípulos deberían haber aprendido de ellos. Pero, como todos los adultos, firmemente creían que sus ideas adultas, su discurso y sus proyectos eran de fundamental importancia. De manera que los discípulos pasaron por alto a los niños o intentaron apartarlos porque sinceramente creían que Jesús tenía proyectos *adultos* más importantes en mente. Realmente creían que le estaban haciendo un favor.

Sin embargo, no era así, y así lo señaló Jesús (indignado frente a ello). De hecho, tampoco estaban haciéndose un favor a sí mismos. En su comprensión del Reino de Dios y la verdadera grandeza de ese Reino, estaban errando el tiro.

¿Somos *tan* diferentes a aquellos discípulos? Cuando nos encontramos con una familia, ¿pasamos por alto a los niños (o les damos un ligero "hola") al centrar nuestra atención en los padres? Cuando visitamos niños en el hospital o en sus casas, ¿hablamos principalmente con los adultos en lugar de intentar conversar con estos niños? Cuando un niño de nuestra comunidad muere, ¿pasamos más tiempo con sus padres en vez de acercarnos a los hermanos que ya tienen edad suficiente para comprender lo que sucedió? ¿Cómo apoyamos a los compañeros de aula del niño que falleció? ¿Nos tranquilizamos a nosotros mismos diciendo que "los niños no comprenden estas cosas, si rehuimos el tema, de todas formas se sobrepondrán?" Si solemos tener alguna de estas reacciones, estamos imitando a los discípulos en vez de a Jesús. Este libro intenta proveer un enfoque diferente sobre nuestro comportamiento frente a niños enfermos.

Cómo está organizado este libro

En la primera parte, los capítulos se dedican a las distintas etapas del desarrollo en la infancia: cognitiva, relacional y espiritual. Se presenta una descripción de las etapas pertinentes, tomada de las obras de Jean Piaget, Eric Erikson y James Fowler, para niños en circunstancias normales. Estos tres profesionales desarrollaron sus hipótesis observando niños de culturas occidentales. En consecuencia, no se puede extrapolar el trabajo a niños de otras culturas. Sin embargo, para los propósitos del libro, la mayoría de los niños que nosotros ayudemos serán aquellos de las culturas occidentales, y las etapas hipotéticas deberían aplicarse adecuadamente a ellos.

En los primeros años del siglo XX, Piaget, observando a sus propios hijos, desarrolló su hipótesis sobre cómo aprenden los niños según las distintas edades. Más adentrado el siglo, Erikson postuló cómo se relacionan los seres humanos a lo largo de la vida, aunque la mayor parte de su trabajo estudiaba la infancia. Finalmente, en la década del setenta, Fowler investigó cómo, según la edad, los seres humanos desarrollan la fe. La obra de estos tres investigadores constituirá la base teórica de los capítulos de la primera parte. Se ofrecerá un comentario sobre cómo en cada etapa la enfermedad afecta a los niños (y a sus familias). Luego, se sugiere una serie de enfoques pastorales para niños/adolescentes y padres.

En la segunda parte del libro, se describen situaciones particulares, y también se ofrecen sus enfoques pastorales según la edad.

A continuación se añaden tres comentarios. En primer lugar, en este libro no se tratan casos de niños con deficiencias físicas (tales como ceguera o sordera), porque los mismos no están enfermos. Lo mismo ocurre con aquellos niños que poseen deficiencias mentales, como retraso mental. Por supuesto que si estos niños contraen una enfermedad aguda, deben operarse o sufren una lesión, ingresan en las categorías tratadas en este libro.

En segundo lugar, cuando hablo de un niño "enfermo", incluyo también el período de recuperación posoperatorio. A fin de reducir toda verbosidad a un mínimo, no siempre explico en detalle las circunstancias que atraviesan niños y adolescentes en un período de recuperación posoperatorio, pero ciertamente, ellas están comprendidas en este libro.

Por último, emplearé los términos "niño" y "adolescente" para referirme a ambos sexos. Al emplear pronombres en singular, alternaré el uso de "él" y "ella" en un intento por ser inclusiva.

Unas palabras para quienes trabajan con profesionales de la salud

Mi experiencia como profesional de la salud me ha enseñado que la mayoría de los profesionales de la salud, aunque no lo expresen abiertamente, experimentan el dolor de sus pacientes. La mayoría de nosotros no nos hemos dedicado al cuidado de la salud por dinero, sino por el deseo de ayudar a otros. Y con el tiempo, para la mayoría de nosotros, ese deseo se ahonda más. Nos frustramos y entristecemos cuando no podemos ayudar o cuando alguien rechaza nuestra ayuda.

Sin embargo, a la mayoría de nosotros, en las escuelas profesionales, se nos ha enseñado que está mal demostrar emoción a los pacientes y sus familias. "A los pacientes les gusta tener médicos fuertes que estén a cargo", nos dijeron. "No necesitan ni quieren a alguien que los tome de la mano." En la escuela de medicina, me inculcaron esta línea de pensamiento, y yo la incorporé. También aprendí que si uno de mis pacientes se moría, era debido a que yo no sabía o no había estudiado lo suficiente. Siendo una médica joven, cada vez que un niño o un adolescente se moría, yo cargaba un peso enorme. ¿Era la muerte realmente mi culpa porque yo no había estudiado lo suficiente o era una ignorante?

Cuento esta historia porque es importante comprender que muchos profesionales de la salud han incorporado la misma línea de pensamiento y sufren por ello. Esta noción fuerza a uno a fingir que sabe más de lo que realmente sabe, a fin de que no se nos haga responsables de la muerte de un paciente. Ésto provoca que uno pase horas haciendo examen de conciencia cuando sobreviene una muerte, incluso cuando no haya sido posible impedirla. Cuando uno se coloca un manto de infalibilidad y omnipotencia, sobreviene la desorientación porque uno no es ni sabelotodo ni infalible. Sin embargo, la apariencia puede mantenerse.

Sean compasivos con los profesionales de la salud con los que entran en contacto. Su modo brusco puede ser una forma de tapar inseguridades y remordimiento. Recen por los profesionales de la salud, porque definitivamente necesitamos toda oración posible. Cuando un profesional de la salud desee hablar con ustedes sobre los aspectos espirituales de niños enfermos o moribundos, escúchenlos. Pueden no estar de acuerdo con el credo de la persona (si es que profesa uno), pero están llamados a estar presentes en ese momento. Y ¿quién sabe? Su presencia puede ser la primera oportunidad que tiene el profesional de la salud para ser honesto con sus reacciones y las preguntas que se hace frente a la desdicha que ve a su alrededor.

PRIMERA PARTE

Consideraciones generales

CAPÍTULO 1

Lo que experimentan los padres y los hermanos de niños enfermos

Reacciones paternales

Los padres de niños enfermos pueden llegar a experimentar todo tipo de reacciones físicas, emocionales y espirituales. Aunque no todo padre experimenta *todas* las reacciones, muchos sufren la mayoría de ellas, aunque no necesariamente en el orden en que se presentan a continuación.

FÍSICAS

Tener un hijo que está gravemente enfermo, que posee una lesión grave, una enfermedad crónica o terminal requiere una enorme cantidad de energía. ¡Un padre debe brindar tanta protección, tanto apoyo emocional! En consecuencia, muchos padres sufren cansancio crónico. Tratan de hacer demasiadas cosas por demasiadas personas. Frecuentemente, no atienden sus necesidades de comida, sueño y ejercicio. En consecuencia, su propia salud se resiente. Puede que realicen más de un trabajo para poder asegurar una cobertura médica adecuada u obtener ingresos para pagar cualquier eventualidad que surja. La fatiga y el estrés pueden hacerlos perder tiempo en el trabajo, poniendo en peligro el ingreso o cuidado de la salud que la familia recibe.

Además de fatiga, muchos padres experimentan dolores crónicos o brotes de enfermedades crónicas. El estrés puede provocar dolores de cabeza, de cuello y dolores de hombros o rigidez, dolores de espalda y dolor de estómago ante una tensión de los músculos o un espasmo muscular del intestino. Ciertas lesiones, a las que las personas son susceptibles, pueden agravarse por el exceso de estrés (por ejemplo, úlceras debido a un incremento de la producción de ácido estomacal).

Muchos síntomas de enfermedades crónicas pueden empeorar, como, por ejemplo, manifestaciones cutáneas, alergias, o colon espástico. Puede que se produzca un brote de enfermedades más graves como una colitis ulcerativa, lupus, hipertensión y asma que, a veces, terminan en hospitalización de la persona. Estos brotes son agravados por el efecto adverso del estrés en el sistema inmunológico. El sistema inmunológico es un guardián que protege a los seres humanos de microorganismos externos y anormalidades internas (como tumores). Cuando el sistema inmunológico no funciona adecuadamente, vuelve al organismo susceptible de contraer infecciones y puede provocar un mal funcionamiento de los órganos. Eventualmente, el sistema inmunológico puede estar sobreexigido y atacar al propio organismo. Algunos padres sufren demasiado estrés, y sus sistemas inmunológicos no los protegen, de manera que no sólo está en riesgo su propia salud sino también la salud de los miembros de la familia que dependen de ellos.

Bajo los efectos del estrés, otros padres se vuelven "propensos a los accidentes", ya sea debido a falta de atención y distracción o a una necesidad inconsciente de escapar de su rol de liderazgo. Algunos padres intentan ocultar su estrés y su dolor a través del consumo de drogas legales (por ejemplo: alcohol, medicamentos recetados) o ilegales. Naturalmente, estas drogas también acarrearán consecuencias físicas.

EMOCIONALES

El estrés de tener un hijo enfermo involucra muchos aspectos. En el caso de una malformación o infección congénita, puede que los padres (en especial la madre) sientan enorme culpa de haber causado el problema. Con otras enfermedades o lesiones, los padres pueden también sentirse culpables de no haber protegido adecuadamente a su hijo cuando debieron hacerlo. Los padres sufren cuando ven a su hijo ser sometido a infinidad de procedimientos médicos, especialmente al ver que hay poco que puedan hacer para eliminar la aflicción o el dolor. En consecuencia, los sobrecoge un sentimiento de impotencia. Esta impotencia puede suscitar en los padres sentimientos de baja autoestima, inutilidad y depresión.

En las familias en las que están ambos padres, las estrategias de enfrentamiento de cada padre pueden ser tan diferentes, que cada uno puede sentir que el otro "no comprende"; lo que puede desencadenar disputas y conflictos matrimoniales que, a la larga, perjudican al niño que necesita a ambos padres. A causa de la fatiga, de la baja autoestima y el enojo hacia el otro (tal vez incluso culpándose mutuamente por la enfermedad o la lesión del hijo), puede producirse una pérdida de la intimidad sexual cuando el padre o la madre "se reserva" para el hijo enfermo en lugar de hacerlo para el cónyuge. En cuyo caso, el otro se siente dejado de lado y abandonado. El progenitor que está fundamentalmente al cuidado del niño puede sentirse abandonado/a si se deja a su cargo la mayoría de las tareas del cuidado del niño, especialmente si el esposo/a se sumerge en el trabajo y alega que "debe trabajar"; la irritabilidad y la depresión son comunes en ambos padres, pero pueden expresarse de manera diferente. Estos sentimientos, a su vez, pueden generar en la persona una dependencia de sustancias (legales o ilegales) o una búsqueda de experiencias sexuales con "alguien que me comprende". Esto es perjudicial para el niño o el adolescente enfermo y, más adelante, fractura la familia.

Los matrimonios también sufren cuando un padre acusa al otro de "no preocuparse" o de "no ser un padre lo suficientemente bueno", o cuando directamente se culpan por la enfermedad o la lesión que sufre el niño. Desgraciadamente, esto también ocurre entre los demás miembros de la familia que se echan la culpa unos a otros (por ejemplo: los abuelos culpan a los padres de la enfermad o la lesión del niño, los padres culpan a los otros hijos y viceversa).

ESPIRITUALES

Nunca se dará suficiente énfasis a la angustia espiritual que sufren muchos padres. Muchos se cuestionan la existencia de Dios o la bondad de un Dios que permite que los niños sufran. Los padres se preguntan por qué justamente sus hijos deben sufrir, o si Dios los está castigando a *ellos* por algún hecho real o ficticio que cometen o cometieron. Muchas veces, esta ofensa ocurrió hace mucho tiempo (como un aborto o una infidelidad matrimonial); sin embargo, el padre cree que Dios ha estado apuntando los tantos y ahora está "saldando cuentas".

A veces, la ofensa no parece tan tremenda como para merecer un castigo tan terrible de Dios. Cuando los padres creen que Dios los está castigando con la enfermedad de su hijo pequeño o adolescente, es probable que rechacen las invitaciones de los agentes pastorales, que son, después de todo, los emisarios de ese Dios que ellos cuestionan. Puede que estén enojados con Dios y dirijan esos sentimientos hacia los agentes pastorales.

Otros padres pueden quedar como vacíos, y se vuelven incapaces de rezar o incapaces de expresar sus sentimientos acerca de Dios. "¿Rezar? Debes estar bromeando" dijo una madre. "Es todo lo que puedo hacer para dar el próximo respiro."

Puede que sientan que están en el medio de un desierto o de un páramo. Puede que se sientan demasiado desconsolados o demasiado incomprendidos para esperar que alguien —especialmente un agente pastoral— pueda comprenderlos.

Las reacciones de los hermanos

De la edad que tengan los hermanos dependerá que sus reacciones físicas, emocionales o espirituales sean similares o totalmente diferentes a las de los padres. Por lo general, cuanto más grande es el niño, más probable es que su reacción refleje la de los adultos. Además, muchos niños tratan de imitar la reacción de los padres (o sus palabras), especialmente la del padre del mismo sexo.

Incluso los niños muy pequeños sienten cierto trastorno en sus vidas cuando un hermano enferma, especialmente si sus padres deben estar fuera para cuidar a su hermano. Un bebé puede sufrir alteraciones en el sueño o en la alimentación, o períodos de irritabilidad o llanto. Niños que comienzan a andar o están en edad preescolar pueden hacer regresión, es decir, tener un comportamiento más típico de niños menores como, por ejemplo, querer el biberón, querer dormir en una cuna o tener problemas urinarios o intestinales. Los niños que ya hablan, tal vez se quejen de malestares y dolores para captar la atención de sus padres. Después de todo, si el padre se interesa por un hermano que está enfermo con diversos malestares y dolores, un hermano que no está enfermo puede usar la enfermedad para captar más atención. Niños en edad preescolar pueden también tener miedo de haber causado la enfermedad de su hermano menor porque estaban celosos del niño y, tal vez, incluso le desearon un daño.

En lo que respecta a la muerte, los niños pequeños simplemente no entienden que la muerte es irreversible. Como los personajes de las historietas que recuperan la fuerza inmediatamente luego de haber sido atropellados por un camión, los niños en edad preescolar realmente creen que alguien que se está muriendo *puede* recuperarse y que alguien que murió, volverá.

En los años de escuela primaria, los sentimientos de culpa se acrecientan, porque los niños a esta edad comprenden mejor las enfermedades. Es muy común que los hermanos se peleen y se digan cosas crueles como "Te odio. Desearía que estuvieras muerto", cuando no pueden hacer las cosas a su manera o cuando quieren fastidiar al otro. Cuando un hermano enferma, al niño que hizo el comentario tal vez lo invadan sentimientos de culpa y odio a sí mismo. "No dije en serio que deseaba que estuviese muerta —sollozaba un niño de seis años—. Yo no quería que a ella la arrollara un auto." Este tipo de "pensamiento mágico" es común en los últimos años de edad preescolar y en los primeros años de escuela primaria.

Para lidiar con su culpa, estos niños pueden volverse llorones, distantes o discutidores y desobedientes, según su propio estilo de comportamiento innato y su estrategia de enfrentamiento. Pueden volverse impertinentes en sus casas, con problemas de conducta en la escuela o irritables con las personas con las que entran en contacto. Como el pensamiento de haber causado a su hermano una enfermedad o una lesión es terrible, estos niños harán todo lo posible por alejar su atención de dicho pensamiento. Además, el hecho de portarse mal logra que se les preste atención. Es cierto que no es una atención positiva, pero es atención que se les dirige a ellos en un momento en el que la mayor atención está centrada en su hermano enfermo o lesionado.

Físicamente, los hermanos pueden manifestar dolores crónicos, especialmente dolores de cabeza y de estómago. Si poseen una enfermedad médica crónica, ésta puede agravarse. Algunos hermanos adoptan los síntomas que poseen su hermana o hermano enfermos y se convencen de que ellos padecen la misma enfermedad o de que van a morirse.

Con respecto a la muerte, los niños que van a la escuela primaria han aprendido que la muerte es irreversible y que una persona que muere no puede regresar. Al igual que muchos adultos, puede que se enojen con la persona que ha muerto por abandonarlos, creyendo que de alguna manera la persona tenía opción. La reacción de un niño frente a la muerte de su hermano dependerá de su edad y sexo y de los del niño que ha muerto. Estos niños pueden también creer que ellos serán los próximos en morir en la familia, y esta ansiedad puede perjudicar la relación con sus compañeros, la vida en su casa y su trabajo en la escuela.

Cuando los niños llegan a la adolescencia, sus reacciones se asemejan más a las de los adultos, incluso de manera estereotipada. En otras palabras, los varones pueden creer que no es de hombres llorar o demostrar sus emociones, especialmente si eso también forma parte de su herencia étnica. En cambio, es aceptable que las niñas demuestren sus emociones. En algunas culturas, esta demostración puede ser tan marcada que hasta linde con la histeria; sin embargo, dentro de ese grupo étnico, es aceptable e incluso esperable que así sea. Nuevamente puede que afloren malestares y dolores crónicos o se agraven enfermedades preexistentes ante la ansiedad que sufre el adolescente. Al igual que los niños de la escuela primaria, los adolescentes pueden temer ser susceptibles de contraer la misma enfermedad que padece su hermano.

Espiritualmente, los niños en edad preescolar frecuentemente cuestionan por qué Dios permite que su hermano esté tan enfermo; si su hermano ha muerto, preguntan por qué Dios se llevó a su hermano al Cielo o por qué Dios no los eligió a ellos para que fueran al Cielo. Podrán creer que quizás se esté castigando a su hermano muerto separándolo de la familia. Varios niños se enojarán con Dios, mientras que otros sostendrán que la muerte de su hermano no es culpa de Él. La mayoría de los niños simplemente no sabrán qué pensar. Puede que no muestren interés en la iglesia o en Dios. Pueden burlarse de la idea de un Dios bueno, o tal vez se aferren a la idea de que Dios los ama y lleva en su corazón lo que es mejor para ellos. Generalizando, los niños más grandes y los adolescentes son quienes adoptan las posturas más cínicas, y esto se da especialmente si poseen el ejemplo de algún adulto cínico a quien imitar.

CAPÍTULO 2

Niños preverbales: bebés y niños que empiezan a caminar

Piaget: etapa sensomotriz;
Erikson: etapa confianza frente a
desconfianza (infancia),
autonomía frente a vergüenza y culpa;
Fowler: etapa de fe indiferenciada.

Etapas en la salud

El psicólogo Jean Piaget se interesó por el desarrollo cognitivo de los niños y su relación con el aprendizaje. A la primera etapa la denominó "sensomotriz". Dicho de manera más simple, esto significa que los bebés y los niños que empiezan a caminar aprenden a través de sus sentidos y al moverse y explorar los diferentes objetos. Los bebés y los niños que empiezan a caminar están también muy alertas a las imágenes y los sonidos. El rostro del ser humano les fascina, como también los ruidos que les resultan curiosos y (especialmente) las voces de las personas que aman. Además, los bebés atraviesan una etapa en la cual *todo* va a sus bocas. Ésta es su manera de explorar íntimamente su entorno. Una vez que los bebés aprenden a desplazarse en forma independiente (niños que empiezan a caminar), pueden explorar más allá de sus cunas, de las sillas altas para bebés y de los brazos de sus padres.

Eric Erikson se interesó en las relaciones de los seres humanos, no sólo en cómo el ser humano establece relaciones con las demás personas, sino también con los objetos de su medio. En la primera etapa, Erikson observó que los bebés aprenden a confiar en el mundo (y en aquellos que se encuentran en él) al ser tratados bien; a la inversa, aprenden a desconfiar de su mundo (y de aquellos que se encuentran en él) si sus necesidades son menospreciadas o ridiculizadas, o si se los lastima.

Hacia su segundo año de vida, los niños que comienzan a andar experimentan lo que Erikson denominó "autonomía frente a vergüenza y culpa". Un niño, a los dos años, aprende (y quiere) volverse independiente: para moverse solo, alimentarse y (quizás) hacer sus necesidades. Cuando a un niño no se le permite ser independiente, o cuando sus intentos por ser autónomo fallan, el niño desarrolla sentimientos de vergüenza y culpa. Obviamente, un poco de desconfianza, vergüenza y culpa es inevitable porque el mundo no es perfecto, y un niño no puede siempre salirse con la suya. Es sólo si la desconfianza y la vergüenza/culpa definen la vida de un niño cuando puede esperarse que esto traiga aparejado trastornos en las siguientes etapas del desarrollo.

James Fowler estaba interesado en observar cómo el ser humano desarrolla la fe. Apoyándose en gran medida en los trabajos de Piaget y Erikson, Fowler desarrolló una teoría sobre el desarrollo de la fe. Él denominó a la primera etapa o pre-etapa (así llamada porque no podemos acceder directamente a los pensamientos de los niños en los dos primeros años de vida), "fe indiferenciada". De acuerdo con Erikson, Fowler creía que los niños aprenden a tener fe al desarrollar confianza en las palabras y acciones de quienes los rodean. Todo lo que aprenden acerca de Dios, a quien no pueden ver, lo aprenden de los seres humanos a quienes sí pueden ver. Si un niño recibe un trato leal y mensajes positivos acerca de Dios, aprende a asociar la palabra "Dios" con pensamientos, sentimientos y acciones buenos. Si a un niño se lo trata mal, recibe mensajes negativos acerca de Dios, especialmente mensajes que implican que Dios está del lado de los adultos y en contra de los niños, la palabra "Dios" no será asociada con la bondad.

Enfermedades y lesiones

Cuando los bebés o los niños que empiezan a andar enferman, el aprendizaje de su aparato sensorial y motor se ve limitado. Si están hospitalizados y se les colocan líneas intravenosas (IV), puede que sus movimientos se vean restringidos y no puedan tocar ni explorar. Ciertamente su movilidad se verá amenazada. Incluso por enfermedades menos graves, puede que se les restrinjan los objetos que pueden llevarse a la boca. Según la enfermedad que padezcan, puede ocurrir que deban tapárseles los ojos, limitando la función cognitiva de la visión en el aprendizaje. Una lesión o enfermedad grave repercutirá en el desarrollo de confianza hacia los demás, dado que parece que todos los que entran en su habitación quieren pincharlos o causarles dolor. Ni siquiera sus pa-

dres pueden (o quieren) salvarlos de este doloroso tratamiento. De la misma manera, su creencia en una vida
pacífica puede ser puesta en tela de juicio por sus propias experiencias. Desgraciadamente, la aflicción y el
dolor son inherentes a las enfermedades y lesiones.

Es, por supuesto, doloroso ver a un niño sufrir. Tal
vez lo más duro sea ver a los bebés o a niños pequeños,
sobre todo por la incapacidad de los adultos de explicar-
les adecuadamente las cosas y de comprender sus gemidos y llantos faltos de palabras. La mayoría de los adultos se sienten impotentes cuando se enfrentan a niños
que sufren. Cuando uno puede tener un diálogo con un
niño, al menos siente que puede ayudarlo a sobrellevar
la situación. No ocurre lo mismo con los bebés. Sólo podemos observar sus rostros, escuchar sus llantos e intentar calmar sus cuerpitos atormentados por el dolor.

Para algunos adultos, la imagen o los gemidos de niños pequeños que sufren es intolerable, más allá de
nuestro sexo, rango médico, inteligencia o posición en
la vida. Aunque un ministro potencial para niños enfermos y sus familias puede solicitar a otro ministro más
adaptado a este tipo de ministerio que haga una visita,
el ministro debe siempre tener en cuenta que los padres
del bebé no pueden librarse tan fácilmente. *Ellos* deben
estar presentes por el bien de su hijo; y cuando un padre no es capaz de salir adelante en dichas circunstancias, puede desatarse un conflicto o la disolución matrimonial.

Los bebés *sienten* dolor. Responden al dolor de manera similar a la de los adultos. Gesticulan, agitan sus
brazos y piernas y dan fuertes gritos, si pueden y tienen
la fuerza para hacerlo. Cuando un bebé padece un do-

lor, sus palpitaciones y la presión sanguínea aumentan, y su piel puede tornarse roja intensa o morada, especialmente cuando están llorando. Esto también sucede con bebés prematuros que, al estar respirando por un respirador, sus gritos no pueden oírse. Además, los bebés prematuros son extremadamente sensibles a las variaciones de temperatura, ruido y luz que ocurran en la habitación. Debido a que muchos de estos bebés están inmovilizados para evitar que, en un descuido, arranquen las líneas IV o los respiradores, sus movimientos están limitados: muy lejos de la libertad de movimiento que experimentaron en el útero.

Incluso en bebés que nacieron en término y niños que superaron el período neonatal, la expresión de dolor es evidente. Luego del período neonatal, un bebé puede también sufrir angustia al no poder ser alzado por su madre o estar rodeado de gente desconocida. Si esto ocurre aproximadamente a los seis meses de edad, el niño puede volverse irritable, especialmente si ha ingresado en las etapas de ansiedad por separación o ansiedad por ver extraños.

La ansiedad por separación es el miedo a ser separados de los padres (especialmente de la madre) o de un adulto querido. Es una reacción normal del crecimiento que comienza entre los seis y siete meses de edad y finaliza entre los veinticuatro y treinta meses. Los niños, en esta etapa del desarrollo, llorarán y se resistirán a ser alzados por una persona que no les resulte familiar, *aunque* el padre o tutor estén en la misma habitación.

A esta edad también es normal que el niño sienta ansiedad al ver extraños, miedo a cualquier persona que no sea alguno de sus padres (especialmente la madre) o un ser querido. Nuevamente, aunque el padre lo tenga alzado, un niño en esta etapa de desarrollo no querrá que una persona que no conoce se le acerque, por amistoso que sea. Por lo tanto, al dolor físico que sufre el niño enfermo debe sumársele el sufrimiento emocional de ser separado de los padres y estar rodeado de gente a quien no conoce. El sufrimiento emocional de un bebé o de un niño pequeño contribuirá al sufrimiento emocional de sus padres, que no toleran ser separados de su hijo y preferirían que no hubiera tantos extraños presentes.

Como si todo esto no fuera lo suficientemente malo —un bebé o un niño relativamente indefensos que están sufriendo, separados de los padres y rodeados de extraños—, la situación bajo cuidado intensivo puede ser mucho peor. Los niños deben someterse a dolorosos procedimientos médicos. Aun cuando quienes atienden las necesidades médicas de niños tratan de minimizar cualquier molestia y finalizar con los procedimientos lo más rápidamente posible, algunos procedimientos *duelen*, aunque sea por un breve lapso. A un niño mayor, podemos explicarle que el "ay" del pinchazo de una aguja sólo durará un momento. A un bebé podemos decirle lo mismo, pero no sabemos cuántas de nuestras palabras serán comprendidas. Ciertamente, nuestro tono de voz y nuestras actitudes *son* comprendidos. De modo que, un niño estará más triste e irritado por el proceder de un padre, un médico o una enfermera que estén tristes e irritados. A diferencia de los adultos, los bebés no pueden expresar adecuadamente sus sentimientos.

Además de los procedimientos, los niños enfermos son sometidos a cambios en sus comidas (por ejemplo, no ingerir nada por la boca o únicamente líquidos), y pueden sentir hambre o frustración al no ser alimentados de la manera en la que están acostumbrados. El bebé puede querer ser alzado por sus padres, pero debido a su estado, quizás deba permanecer en la cuna, incluso sujeto allí. Esto, para los padres que sólo pueden permanecer al lado de sus hijos y se sienten incapaces de satisfacer sus necesidades, es especialmente descorazonador. Es común que sobrevengan sentimientos de culpa: "¿Qué clase de padre soy que no fui capaz de proteger a mi bebé de todo esto?"

A pesar de que los agentes pastorales pueden asegurar a los padres que no es su culpa, en la mente de los padres es su deber proteger a sus hijos del daño y el sufrimiento. Esta culpa será más aguda si el padre *fue*, de hecho, responsable de la situación del niño. Presenciar el sufrimiento que atraviesa un bebé que fue expuesto a cocaína en el útero, es desgarrador para la madre adicta. El niño que no llevaba el cinturón de seguridad abrochado cuando se produjo el choque, y ahora está en coma, parte el corazón de un padre. El niño que bebió la lejía que estaba en el lavadero y ahora está conectado a una máquina que lo asiste, provoca en un padre una profunda autorecriminación. El niño que fue violado por un pariente, y ahora yace sangrando en la sala de emergencias, llena de furia al padre contra el perpetrador y contra sí mismo por no haber estado allí para evitarlo.

No nos apresuremos a juzgar a los padres que "deberían haber obrado mejor" o "deberían haber sido más cuidadosos". ¿Nunca hemos cometido errores al tener niños a nuestro cuidado? ¿Nunca hemos sido descuidados o estuvimos fuera de control? ¿Nunca hemos estado demasiado cansados para darnos cuenta o demasiado enfermos para pensar con claridad? La verdad es que *todos* hemos estado en esa situación en algún momento. Jesús dijo: "El que esté libre de pecado que arroje la primera piedra." ¿Quién de nosotros está libre de pecado y puede arrojar la primera piedra?

Enfoques pastorales para bebés, niños pequeños y sus familias

1. Cuando entren a la habitación, háganlo silenciosamente. Aunque es bueno que sonrían al bebé o al niño, demasiada proximidad de inmediato puede asustarlo. Sean simpáticos pero no lo agobien. No lo miren fijamente.

2. Aunque pueden preguntar al padre cómo está su hijo, no traten de arrancarle información. Permitan que les cuente sólo lo que quiere. Además, no den consejos, porque pueden no conocer bien a la persona o su situación como para hacerlo.

3. Siempre pidan permiso al padre para rezar por el bebé o el niño en la habitación del hospital. Pueden rezar en voz alta o en silencio, tal vez apoyando su mano sobre la cabeza del niño. A menos que estén seguros de que sus manos están limpias, eviten tocar las manos o el rostro del bebé o del niño.

4. Si a un bebé o a un niño les da miedo que un visitante se les acerque, mantengan distancia y recen desde lejos. De la misma manera, no se debe hacer ningún intento por sostener o acariciar al bebé o al niño contra su voluntad.

5. Al rezar en voz alta incluyan oraciones sencillas que el niño que están visitando conozca; el padrenuestro, por ejemplo, puede ser muy apropiado. Los padres del niño pueden también sugerir oraciones que se rezan comúnmente en la casa.

6. Cantar canciones simples también es una buena forma de rezar, dado que a la mayoría de los niños y bebés les fascina cantar. Si conocen la canción, escucharla los calmará.

7. Ejercer la pastoral con un bebé o un niño que están sufriendo también incluye ejercerla con los padres que igualmente sufren. Aunque no estamos seguros de cuánto nos comprende un bebé o un niño pequeño, sabemos que los padres pueden ser afectados positiva o negativamente por lo que los acompañantes dicen (por más que lo digan con buena intención). Comentarios bien intencionados, pero mal expresados, pueden no sólo herir a un padre emocionalmente sino también espiritualmente, en especial si se trata de comentarios sobre el juicio o la voluntad de Dios. Eviten dar consejos si nadie se los pide. Si se pide su opinión, escuchen primero cómo opinan los padres al respecto. Sobre todo, si se desatan discusiones entre los padres, entre los padres y otros parientes, o entre el adolescente y algún miembro de la familia, no tomen parte en ellas.

8. Pregunten a los padres si quieren que el agente pastoral ore con ellos (en silencio o en voz alta). Además, ofrezcan a los padres conducir ellos mismos la oración. Aunque muchos padres rechazan esta invitación, otros la aprecian y practican. A menos que el acompañante conozca bien a los padres, siempre

debe preguntárseles qué prefieren que hagamos. Si un padre se niega a que el ministro rece durante la visita, respeten este deseo. Siempre puede rezar por el niño y sus padres cuando se retira de la habitación. En un momento tan vulnerable, no debe forzarse a los padres a buscar a Dios.

9. Siempre pregunten si hay algo que ustedes o la congregación pueda hacer por la familia. En especial, pregunten si está bien que vuelvan a visitarlos. Luego, cumplan con los deseos de aquellos más cercanos al niño. Si prometen visitarlos de nuevo, háganlo.

CAPÍTULO 3

Niños en edad preescolar

Piaget: etapa preoperacional;
Erikson: etapa iniciativa frente a culpa;
Fowler: etapa intuitivo-proyectiva.

Etapas en la salud

D e acuerdo con la teoría de Piaget, los niños en edad preescolar aprenden en forma "preoperacional". Dicho de manera más simple, esto significa que los procesos mentales de los niños son no-lógicos. Aún no han aprendido operaciones formales como listar, contar, categorizar, razonar. ¡Con lo cual, sus ideas sobre las cosas son más bien fantásticas! No tienen noción del tiempo. Son muy creativos, están abiertos a ideas nuevas y excitados por la vida.

Durante esta etapa, según Erikson, los niños están aprendiendo a tomar iniciativas: comienzan, hasta cierto punto, a cuidar de sí mismos y a realizar simples quehaceres. Si sus intentos son llevados a cabo con éxito, aprenderán a confiar en su iniciativa y sus habilidades; si sus intentos son frecuentemente desafortunados o ridiculizados, y recibidos con enojo por sus seres queridos, ya no querrán intentarlo más. En dichos casos, su creatividad, franqueza y entusiasmo son reprimidos.

La etapa de la fe, de Fowler, refleja la teoría expuesta por Piaget en los años preescolares. Fowler sostenía que los niños eran intuitivos, es decir, tenían cierto discernimiento sobre las cosas y las personas que no les era enseñado formalmente. La intuición va acompañada de creatividad y franqueza. Pero, los niños en edad preescolar también proyectan; es decir, hacen juicios sobre las personas y las cosas basados en experiencias que han tenido con gente o cosas similares. En cuanto a su aproximación a Dios, los niños en edad preescolar tienen una agudeza de la que nosotros los adultos carecemos. Sus ideas no son necesariamente incorrectas, simplemente son diferentes de las de los adultos. Están abiertos a aprender más acerca de Dios y son más entusiastas de su obra.

Otro aspecto de esta etapa es que los niños en edad preescolar proyectan en Dios atributos que observan en los adultos de su entorno. Si los atributos son positivos (amabilidad, bondad, generosidad, perdón), los niños proyectarán en Dios atributos positivos. Si los atributos que observan a su alrededor son negativos (castigar, juzgar, guardar rencor, ridiculizar), un niño bien puede proyectarlos en Dios. Esto sucede especialmente cuando el niño escucha a los adultos hablar desconsiderada o despectivamente de Dios.

Enfermedades y lesiones

Cuando un niño en edad preescolar enferma gravemente, por lo general no se lo incentivará en la toma de iniciativas. En consecuencia, muchos niños sufren una regresión a comportamientos de niños menores. Es de esperarse que ello ocurra, especialmente por la manera en que los padres tratan a sus hijos enfermos, alentando así manifiesta (o solapadamente) dichos comportamientos. Los niños en edad preescolar pueden encontrar explicaciones muy imaginativas de por qué están enfermos, necesitaron una operación o sufrieron lesiones. "Durante la noche, el monstruo estaba debajo de mi cama, salió y me agarró la barriga. Dolió mucho hasta que fui al doctor y me cortó", contó un niño de cuatro años que tuvo apendicitis. "Me enfermé cuando me quedé dormido en el auto", dijo un niño de tres años que se deshidrató debido a un virus intestinal.

También pueden proyectar: "Mi padre se enfermó luego de pintar mi dormitorio, y yo me enfermé luego de pintar en mi libro para colorear." Como su padre había estado pintando antes de que ella se enfermase, ella asocia su propia enfermedad con el acto de pintar. En cuanto al rol que desempeña Dios, los niños de esta edad a veces atribuyen la enfermedad a un Dios que los castiga por portarse mal: "Me enfermé porque me reí de mi hermano menor que estaba enfermo la semana pasada", se lamentaba un niño de cuatro años. No importa que la enfermedad del hermano menor y la del mayor no sean la misma. Es un poco el razonamiento de "ojo por ojo, diente por diente". (Si nos ponemos a pensar, muchos adultos se rigen por este código.)

A diferencia de la etapa anterior, los niños a esta edad ya pueden comunicarse (y lo hacen) verbalmente. Esta habilidad, obviamente, se perfecciona con la edad, de manera que un niño de cuatro años es capaz de expresar mejor sus sentimientos que uno de dos. No obstante, eso no significa que el niño de dos años no experimente los mismos sentimientos que el de cuatro, o que no necesite comunicar estos sentimientos de alguna otra manera.

Evidentemente los niños, a esta edad, sienten dolor y generalmente expresan su aflicción llorando, gritando o revolcándose violentamente. Si los niños en edad preescolar han aprendido a maldecir por el ejemplo que reciben de otros miembros de la familia, puede que reaccionen frente al dolor diciendo malas palabras. El agente pastoral sabe que no debe escandalizarse por ello, y no debe utilizar la visita para sermonear acerca del lenguaje grosero del niño o las habilidades de los padres para educar a su hijo.

Niños más reservados o los hijos de padres más bien sufridos quizás lloriqueen calladamente o permanezcan en silencio. Los niños en edad preescolar pueden reaccionar frente al dolor físico o emocional (por ejemplo, frente a la amenaza de separación de los padres) con enojo y haciendo comentarios ofensivos, como "Te odio", "Eres un estúpido", "Desearía que estuvieras muerto" y "Vete". Dichos comentarios no deberían juzgarse demasiado severamente. Aunque no es correcto que un niño insulte verbalmente a otra persona, el contexto en el cual se produce el insulto verbal debe ser tenido en cuenta. Además, si la niña ha escuchado a los padres o a otros adultos cercanos blasfemar cuando están alterados, tal vez haga lo mismo, creyendo que está haciendo una cosa de "grandes". Si bien el insulto verbal puede ser comprensible (por ejemplo, cada vez que la enfermera entra a la habitación, el niño recibe una inyección, de manera que asocia a la enfermera con el dolor), no debe jamás ser tratado a la ligera o considerado gracioso.

La violencia física debe ser firmemente desaprobada. Morder, escupir, golpear o arrojar objetos a fin de herir a alguien, *nunca* debe ser tolerado, no importa cuánto esté sufriendo un niño. Los niños en edad preescolar no controlan mucho sus impulsos, y ello sucede incluso cuando están completamente sanos. Muchos niños en la edad preescolar (así como algunos niños en la edad en que empiezan a caminar) tienen berrinches cada vez que no consiguen lo que quieren. De manera que debe permitirse que descarguen la energía física negativa que tienen contenida porque es normal, especialmente en circunstancias tan angustiosas como una enfermedad o una lesión. Debe alentarse a los adultos a que enseñen al niño a canalizar esa energía de otra manera (menos peligrosa), como golpear una almohada, dibujar con furia, grabar un video en el cual uno dice todo lo que quiere, etc.

Las separaciones aún los inquietan en gran forma, y es inadecuado que los padres, otros parientes o el equipo médico insten al niño a ser "un chico grande" o "una chica grande". El caso es que los niños en edad preescolar son criaturas, no importa cuán rápido quieran hacerlos crecer los adultos. De manera que es *completamente* propio de una niña de cuatro años que grite, llore o busque a sus padres cuando es sacada de su habitación de hospital por un extraño que no permite que el padre la acompañe. Es *completamente* normal que una niña de tres años, a la cual se le tenga que realizar una punción lumbar (punción espinal), se resista a que se la acueste de lado, y llame a gritos a su madre cuando se le pide a ésta que salga de la habitación para el procedimiento.

En momentos como éstos, los padres necesitan todo el apoyo posible. Ya se sienten lo suficientemente culpables de que su hijo esté enfermo o lesionado y deba atravesar más dolor para recuperarse. Ahora deben enfrentarse a su propio sentimiento de insuficiencia al no poder estar presentes para apoyar a su hijo emocionalmente cuando los necesita. Muchos padres responden a este sentimiento llorando; otros se vuelven hostiles y agresivos al hablar ("No te preocupes hijo. Si te lastiman, papá estará allí para golpearlos").

Incluso los agentes pastorales pueden ser el blanco de estos comentarios ("No tienes que hablar con el malvado y viejo pastor si no quieres, querida", dijo una madre a su hija de tres años que estaba asustada antes de una operación. La madre explicó al pastor: "Su traje negro la asusta.")

Enfoques pastorales

1. En primer lugar, acérquense al niño amablemente. Identifíquense al saludarlo. Sonrían y utilicen un suave tono de voz. Si los ojos del niño se fijan sobre ustedes, jueguen con él un momento, ya sea con un

juguete o haciendo algo que pueda divertirlos, como jugar a la escondida (el acompañante se esconde detrás de una puerta y luego reaparece). Si el niño no quiere mirarlos, no fijen en él su mirada. Por el contrario, quédense allí silenciosamente y denle espacio al niño para ser él mismo. Un ministro que atiende familias con niños enfermos sabe que no debe tomar a título personal los comentarios negativos (o el silencio sepulcral) del niño.

2. Preséntense al padre o a los otros adultos que se encuentren en la habitación. No hablen al adulto como si el niño no estuviese presente; eso es descortés. Por ejemplo, preguntar al padre "¿Cómo está Juan?", cuando Juan acaba de negarse a hablar, hará que la opinión de Juan parezca que no es importante. Sin duda, será más razonable preguntar al padre "¿Cómo *te* parece que está Juan?", porque *ésa* es una pregunta que Juan no puede responder por sí mismo.

3. Cuando una niña quiere hablar, ¿de qué tema podemos hablarle? Dejen que la niña los guíe. Muchas veces ella hará preguntas. Los niños de esta edad normalmente tienen muchas preguntas, y suelen hacerlas espontáneamente. Cuando sucede algo que ellos no comprenden, preguntan infinidad de veces "¿Por qué?" Si esto sucede cuando todo está bien, ciertamente sucederá en momentos no tan buenos, siempre y cuando la niña crea que sus padres aceptarán y responderán a sus preguntas. Los niños perciben cuándo los padres no quieren responder preguntas o están demasiado alterados para ser "molestados". Estos niños no harán sus pregun-

tas, al menos no a sus padres, aunque puede que se las formulen a otras personas. Es común que quieran saber más sobre su enfermedad ("¿Qué me sucede?"), sobre alguna actividad ("¿Puedo comer helado?"), sobre los procedimientos ("¿Van a pincharme?"), o sobre si sus padres pueden permanecer con ellos ("¿Puede mamá quedarse conmigo?").

4. Los niños que han ido a la iglesia o que, al menos, han oído hablar de Dios, también hacen preguntas espirituales ("¿Por qué Dios permite que esté enfermo?" "¿Por qué Dios no me cura?" "¿Por qué Dios no hace que mamá y papá dejen de llorar?"). Estas preguntas *nunca* deben ser consideradas como cavilaciones inocentes de un niño demasiado pequeño para comprender cosas de importancia. Si no podemos demostrar a aquellos que están sufriendo la presencia y el amor de Dios en medio de la enfermedad y las tribulaciones, menos seremos capaces de demostrarla en los buenos momentos. Esto ocurre no sólo con los adultos sino también (y especialmente) con los niños, incluso con los más pequeños.

5. Los niños que están sufriendo quieren saber que Dios está con ellos, que Dios no está del lado del dolor o de la enfermedad. Los niños entienden las cosas de manera diferente a como lo hacen los adultos, por ello pueden pensar que están enfermos porque fueron "malos". A algunos niños, por ejemplo, se los deja sin postre cuando se han portado mal. Por lo tanto, cuando a un niño en el hospital no se le permite comer normalmente, puede creer que merece dicho "castigo". Así también, a muchos niños no se les permite salir a jugar afuera cuando

se han portado mal. Cuando a estos niños no se les permite dejar la habitación del hospital, ¿cabe alguna duda de que lo interpretarán como un castigo?

6. La respuesta que se dé a las preguntas que formulan los niños deberá ser acorde con su nivel de desarrollo y, bajo esas circunstancias, lo más honesta posible. Por ejemplo, si un niño pregunta "¿Me arrolló un auto porque me había portado mal?", una respuesta podría ser "No, tu pierna no está rota porque te portaste mal. Tu pierna está rota porque te arrolló un auto cuando estabas en la calle. Aunque tu mamá te dijo que no fueras a la calle, el auto no te arrolló porque no le hiciste caso."

Si un niño dice "Dios ahora no me permite comer porque arrojé mis frijoles a la basura", una respuesta podría ser "Dios no obra de esa manera. No puedes comer porque estás enfermo, no porque Dios esté enojado contigo por haber arrojado la comida. Aunque no está bien que arrojes la comida, esa no es la razón por la cual ahora no puedes comer."

7. A algunos niños les preocupa que Dios no sepa dónde están "¿Dios sabe que estoy en el hospital?", preguntó preocupada una niña de cinco años. Cuando se le aseguró que Dios sabía, la niña suspiró: "Pero no puedo verlo" (dijo al ver que faltaba la cruz que en su casa cuelga de la pared de su dormitorio). En este caso, sería bueno llevar la cruz a la habitación de la niña no sólo para que tenga un objeto familiar con ella sino también para que pueda sentir que Dios está junto a ella.

8. De acuerdo con mi experiencia, los niños a esta edad rara vez preguntan si se van a morir. Ello se debe a que no ven la muerte como un hecho irreversible. Cuando los niños pequeños están muy enfermos, se sienten más preocupados por estar separados de sus padres y hermanos, por si les dolerá y por quién cuidará de su familia o de sus mascotas mientras ellos estén afuera. De manera que estas preguntas pueden ser contestadas simplemente y con honestidad. Por ejemplo: "Los doctores y las enfermeras harán todo de forma tal que no te dolerá", o "Mientras estés fuera de casa, tu hermano cuidará a tu conejo."

9. En el caso de un preescolar agonizante, además de a los padres, debe consolarse a los hermanos mayores. Los hermanos lo suficientemente grandes como para entender la muerte, se preguntan por qué su hermano está siendo castigado con una enfermedad. O pueden preguntarse por qué su hermano, y no ellos, fue elegido para "ir con Dios" ("¿Acaso no soy lo suficientemente bueno?", preguntó un niño de siete años). Los adultos deben reparar en el lenguaje que utilizan y evitar decir cosas tales como: "Molly realizará un largo viaje", "Molly dormirá por un largo tiempo", o "Dios necesita otro pequeño angelito en el Cielo, y Dios ha elegido a Molly." Cualquiera de estos comentarios puede llevar a un niño mayor a preguntarse: "¿Por qué no puedo hacer yo un largo viaje?" "¿Por qué Molly necesita dormir por un largo tiempo?" "¿Alguna vez me dormiré y ya no me despertaré?" "¿Para qué necesita Dios que Molly sea un ángel?" "¿Dios no puede directamente hacer otro ángel?"

10. Al rezar con niños de edad preescolar, lo mejor es recitar oraciones simples, especialmente si el niño ya las conoce. No pregunten al niño inmediatamente después de entrar a la habitación si quiere rezar. Primero conversen un rato con él. Si un niño dice que él no quiere rezar, pregúntenle si le molesta que *ustedes* recen en voz alta. Si la respuesta es "no", háganlo. Si el niño les pide que no recen en voz alta, recen en silencio. Si el padre intenta contradecir el deseo del niño, pónganse del lado del niño. Al fin y al cabo, él es quien está enfermo.

11. Ejercer la pastoral con un niño en edad preescolar que está sufriendo, incluye ejercerla con los padres que también sufren, siempre recordando que lo que el acompañante diga puede afectar positiva o negativamente a los padres. Comentarios bien intencionados pero mal expresados pueden herir al padre no sólo emocional sino también espiritualmente, especialmente si se realizan juicios sobre Dios. Es importante que el agente pastoral ayude a las madres y a los padres a reconocer que han sido buenos padres. La mejor manera de lograrlo es mantener una conversación tranquila dándoles palabras de aliento, es decir, haciendo que una persona angustiada se calme. Sobre todo, eviten dar consejos cuando nadie se los pide. Si se busca su opinión sobre un determinado tema, primero escuchen qué opinan los padres al respecto, luego den su parecer (si lo dan). Si se desatan discusiones entre los padres o entre los padres y otros parientes, no tomen parte en las mismas.

12. No hay una fórmula establecida sobre cómo se debe ejercer el ministerio o la compañía. Algunos padres disfrutan con una conversación tranquila; a otros les hace bien que se los abrace; otros, en cambio, prefieren simplemente tener a su lado a una persona que los apoye en silencio. Traten cada situación como un evento único y a cada familia como única.

13. Así como casos de bebés o de niños que comienzan a andar, surgirán interrogantes de por qué contrajo el niño preescolar esa enfermedad o esa dolencia. Siempre es mejor no sugerir respuestas humanas racionales a cuestiones que no son racionales. Por ejemplo: ¿quién puede explicar por qué un hermano está enfermo de cáncer mientras los otros están perfectamente sanos? ¿Quién puede decir por qué un niño quedó paralítico luego de un accidente automovilístico, mientras su hermano, que estaba del mismo lado del auto, sólo tuvo lesiones menores? Lo más importante es estar presente en medio del dolor de la familia. Realmente dichas preguntas no esperan respuesta, pero la necesidad de formularlas —sin miedo al rechazo— es esencial. No importa qué extensa formación teológica haya recibido un agente pastoral; el hospital o el hospicio no son los lugares para exponerla. Los hospitales, los hospicios y los hogares son lugares para manifestar el cuidado amoroso de Dios a aquellos que más necesitan pruebas de ello.

14. Deberían preguntar a los padres si quieren que ustedes recen con ellos (en voz alta o en silencio); si no quieren, respeten su decisión. Además, ofrézcanles

guiar la oración. Aunque muchos padres rechazan esta invitación, otros la aprecian y practican. A menos que el acompañante conozca bien a los padres, *siempre* deberá preguntarles qué es lo que prefieren en estos casos.

15. Antes de partir, pregunten a los padres si hay algo que ustedes o la congregación puedan hacer por ellos. No presuman que saben qué necesita cada padre; siempre pregunten. Tal vez necesiten cosas prácticas (por ejemplo, que el día que la madre tiene asignado para llevar al grupo de niños a la escuela, ustedes los lleven por ella), o tal vez necesiten apoyo emocional (por ejemplo, poder llamarlos cuando necesiten hablar con alguien). Ciertamente, todos los padres se benefician con la oración, pero pregúntenles si quieren que sus nombres se publiquen o se mencionen en voz alta durante la misa. Algunos padres, especialmente en situaciones difíciles, necesitan privacidad. Respeten eso. También recuerden preguntar si el otro padre o los otros hijos necesitan algo. Finalmente, pregunten si los pueden visitar de nuevo. Y recuerden, respeten los deseos que manifiesten los padres: si prometen hacer algo o que otra persona haga algo, cumplan esa promesa lo mejor posible. En una situación tan vulnerable como lo es la enfermedad de un hijo, la falta de cumplimiento de una promesa (aunque haya sido simplemente por un olvido) puede ser percibida por el padre como un rechazo o una falta de interés.

CAPÍTULO 4

Niños en edad escolar

Piaget: etapa de las operaciones concretas;
Erikson: etapa de destreza frente a inferioridad;
Fowler: etapa mítico-literal.

Etapas en la salud

De acuerdo con la teoría de Piaget, el pensamiento del niño a esta edad es literal y concreto. En la escuela desarrollarán su sociabilidad aprovechando esta característica. Durante los primeros años, aprenderán elementos concretos como los números y el alfabeto; y cuando sean más grandes, ya podrán asimilar fechas históricas y manipular números en matemáticas. Los niños disfrutan al avanzar en distintos temas y proyectos. Les gusta saber cómo funcionan las cosas y cómo se reparan los objetos rotos. Les gusta aprender cosas nuevas, y parecen estar continuamente sorprendidos por la naturaleza y el mundo. Emocionalmente, interactúan con sus compañeros de aula y amigos, ampliando su círculo social más allá de la familia. Quieren encargarse de realizar ciertas tareas por sí solos y demostrar esta habilidad a sus amigos.

En cuanto a su forma de relacionarse con otras personas y con su medio, Erik Erikson observó que esta etapa está caracterizada por una gran laboriosidad (es decir, trabajar duro, especialmente en la escuela). Sin embargo, si el trabajo duro no es recompensado, se establece un sentimiento de inferioridad. Después de todo, no importa cuán duramente trabajen algunos niños, *nunca* serán los mejores de la clase en ortografía o en matemáticas. No importa con cuanto entusiasmo trabajen, *nunca* serán los mejores deportistas o bailarines. No importa cuánto lo intenten ciertos niños, *no* podrán hacer amigos fácilmente. Los amigos son importantes a esta edad porque afianzan la confianza del niño en sí mismo. Es cierto, los padres y los hermanos pueden hacerlo, pero son de la familia. Cuando alguien fuera de la familia es un verdadero amigo, uno ha logrado una verdadera amistad.

Al clasificar su etapa de fe, James Fowler reparó en el énfasis que puso Piaget en los esquemas de conducta concreta de los niños en edad escolar primaria. Según su manera de desarrollar la fe, Fowler la denominó "mítico-literal": literal en el sentido de que son muy concretos (por lo cual son recompensados en la escuela), y mítica en el sentido de que aprecian las historias que se extienden más allá de la vida. Ésta es la edad en la cual los niños quieren escuchar historias de superhéroes y heroínas, y este gusto también se extiende a las historias de la Biblia. A los niños les gusta escuchar relatos que los embelesan, ya sea Jesús resucitando a Lázaro o Moisés cruzando el Mar Rojo. Al mismo tiempo, esas historias deben relatarse al pie de la letra. ¡Si la historia dice que Jesús alimentó a 5.000 personas, no eran 4.999 o

5.001! Si la Biblia dice que un patriarca vivió 120 años, es inútil decirle a un niño de esta edad que el número puede ser simbólico y no real. Ésta es una gran edad para aprovechar que los niños amen las historias de la Biblia y contarles con entusiasmo todas las que podamos.

Enfermedades y lesiones

Sin embargo, frente a una enfermedad o lesión, el sentido de idoneidad que posee la mayoría de los niños en edad escolar puede dar un fuerte vuelco, especialmente si no pueden alimentarse solos, o si necesitan ayuda para ir al baño. Se sienten como "bebés" y, mayormente, les desagrada la dependencia que genera la enfermedad, incluso algunos pueden tener una regresión a comportamientos de niños más pequeños, como expresarse gimoteando.

Además, pueden frustrarse o enojarse frente a las restricciones que se imponen a sus actividades o dieta, especialmente si son mentalmente conscientes de cómo los limita esta enfermedad o lesión. Aunque se sienten mal, quieren ser los que tienen el control.

También les preocupa tener que faltar mucho a la escuela, lo que los hará "atrasarse". Esto realmente los inquieta porque, aunque no sea culpa de ellos, probablemente tengan que repetir el grado y hacer nuevos amigos, ya que sus amigos no querrán estar con un "estúpido", que es lo que para ellos es cualquiera que se atrasa. Por lo tanto, será importante que el niño enfermo o lesionado tenga un tutor en el hospital o en la casa que lo ayude a mantenerse al corriente de las tareas de la escuela.

Los niños a esta edad se sienten traicionados si luego de haber sido "buenos", es decir, de hacer todo lo que el doctor les dijo que era necesario que hicieran para curarse, no mejoran. Debido a su lógica concreta y literal, si la doctora dice que Juancito mañana a la mañana puede irse a su casa si come toda la cena, eso es exactamente lo que espera Juancito, aunque haya estado toda la noche vomitando y con fiebre alta. Juancito se quejará: "¡Pero usted me prometió!", mientras que la doctora argüirá: "Pero anoche te enfermaste." Si bien Juancito sabe que esto es verdad, su sentido de justicia ha sido violado ya que él *comió* su cena. Él cumplió con su parte del trato. La doctora es quien se retractó, no Juancito.

Debido al desarrollo de sus habilidades verbales, los niños a esta edad expresan todo lo que sienten. Sus comentarios pueden estar llenos de furia o incluso irreverencia. Pueden ser groseros con cualquiera que entre a su habitación a visitarlos y con el personal del hospital que debe someterlos a diversos procedimientos. Incluso sus padres (o especialmente sus padres) les provocan enojo, probablemente porque ellos son incondicionales. Después de todo, ¿qué les sucederá si explotan con una enfermera o con un doctor? ¿Se los pinchará con una aguja o se los dejará aislados? Aunque las agujas y el aislamiento no son usados como formas de castigo cuando los niños están enfermos o lesionados, estos niños literales entienden perfectamente que cuando se portan "mal" son enviados a su dormitorio, solos, o se los deja sin comer, lo que les hará doler la panza de hambre. Proyectando un poco, ven cualquier limitación de sus dietas, actividad o visitas como un castigo porque esa es la experiencia que han vivido. Los doctores y las enfermeras no pueden pegarles, pero pueden pincharlos con una aguja. Por lo tanto, siempre es *malo* que un adulto le diga a un niño: "Si no haces lo que digo, voy a decirle al doctor que te ponga una inyección."

A veces, los niños en edad escolar actúan de acuerdo con su edad (o como si fueran mayores); otras veces, actúan como si fueran más pequeños. A veces, los niños en edad escolar, enfermos o lesionados, quieren que sus padres y sus hermanos se vayan; otras veces, no quieren que los dejen solos. A veces, están llorones; otras veces, risueños o demuestran una entereza increíble. A veces, sienten que ya son gente mayor; otras veces, se sienten unos bebés (y quieren ser tratados como tales). Pueden estar tan enojados que arrojen cosas; pueden estar tan dóciles que den y quieran recibir abrazos de todo el mundo.

De acuerdo con su etapa de desarrollo, formulan infinidad de preguntas, y esperan respuestas concretas y literales.

—¿Por qué tienes que sacarme sangre?

—Para hacer unos estudios.

—¿Qué estudios?

—Estudios de tus riñones.

—¿Por qué?

Y así sin cesar. Finalmente, ninguna respuesta los satisface por completo porque, básicamente, lo que quieren es estar en su casa y "normales" otra vez.

Muchas de las reacciones descriptas dependen, por supuesto, de cuán enfermo se sienta el niño y cómo sus estrategias de enfrentamiento hayan funcionado en el pasado. Los niños que se sienten muy mal quizás pateen o den golpes; los niños que están levemente enfermos pueden ser más tolerantes. Sin embargo, algunos niños que se sienten muy enfermos pueden ser mucho más tolerantes que aquellos que están levemente enfermos. No es sólo una cuestión del temperamento innato del niño, sino también de los comportamientos que observa en los adultos de su familia o del barrio.

En lo espiritual, estos niños harán preguntas concretas sobre Dios y sobre cualquiera que diga saber algo acerca de Dios. "¿Por qué de todos los niños que hay en mi clase Dios me eligió a mí para que me enfermase?", gritó una niña de ocho años con leucemia. "¿Por qué mi compañera de habitación se fue a su casa luego de su operación y yo sigo aquí luego de la mía? ¿Dios no quiere que mejore?", preguntó un niño de siete años, frustrado. "Si la gente en la iglesia reza por mí, ¿me curaré más rápido?", preguntó un niño de nueve años. O una niña de diez años que preguntó: "Si toda esa gente estuvo en la iglesia rezando tanto por mí, como dicen que estuvieron haciendo, ¿por qué entonces no me mejoro?, ¿estoy aún enferma porque fui mala?"

Esta última pregunta es particularmente difícil de responder porque los padres frecuentemente, con buena intención, previenen a los niños con consejos como: "¡Si no te abrochas el abrigo hasta el cuello, vas a resfriarte!" La enfermedad parece ser la consecuencia natural de haber desobedecido a los padres. Y así, cuando un niño en edad escolar está gravemente enfermo, piensa que debe haber cometido una falta muy, muy grave como para merecer este castigo. Con frecuencia, los niños a esta edad se volverán locos tratando de develar por qué Dios está tan enojado con ellos.

Además, si los doctores deben llevar a cabo procedimientos dolorosos (que causen aún más dolor), el niño concluirá que debe haber sido verdaderamente malo. Estos pensamientos no dan consuelo a la mente o al corazón de un niño, especialmente si a él también se le ha enseñado que Dios es quien imparte castigo cuando obramos mal. En la mente de un niño, Dios no parecerá un aliado, y quizás le tenga miedo o se enoje con Él por "darle" la enfermedad o permitir que la padezca.

Un niño en edad escolar que se está muriendo, por lo general, lo sabe, aunque sus padres o el personal médico no se lo hayan dicho. "Sé que me estoy muriendo, pero no se lo digan a mi madre", susurró un niño de nueve años con cáncer, "porque ella aún no lo sabe y no quiero preocuparla."

"Jesús vendrá por mí esta noche —dijo un niño con fibrosis cística—, pero mamá y papá no están listos y están muy asustados." Otros niños enfrentan su inminente muerte con verdadero enojo y sintiendo que están siendo traicionados. "Es tan triste —profirió una niña de ocho años que se estaba muriendo de sida—, porque no llegaré a ser una señorita para ser maestra. Hubiera sido una muy buena.

Enfoques pastorales

1. Al entrar a la habitación de un niño en edad escolar, sonrían a los padres, si están presentes, pero *primero* atiendan al niño. ¡Saluden al niño, saluden al niño, saluden al niño! Al entrar a la habitación, salúdenlo, identifíquense y pregunten cómo está. Si el niño se da media vuelta, respétenlo y no intenten forzar una conversación. Si su televisor está encendido, pueden preguntar: "¿Te importa si miro tu televisor por unos minutos?" Pero si él responde: "Vete", entonces váyanse. Siempre pueden rezar en silencio por él al salir. Si el niño se encoge de hombros o dice: "Sí, puedes mirar mi televisor", entonces quédense, pero no comiencen a hablar. Miren televisión. Nunca digan a un niño: "Bueno, si no vas a hablarme, entonces sólo hablaré con tu mamá (o tu papá)." Dicho comentario confirma al niño que, de cualquier forma, sólo han venido a hablar con la gente "importante" (es decir, los adultos). Puede ser que el niño no quiera hablar porque está cansado o siente dolor. ¿Respetaríamos los deseos de un adulto que estuviese cansado o sintiese dolor? Pues con los niños debemos hacer lo mismo.

2. Nunca hablen con un adulto como si el niño no estuviese presente. Cuando Petra no hace caso de usted, resista la tentación de preguntarle al padre: "¿Cómo está?" Si Petra quisiera decírselo, se lo hubiera dicho ella misma. En vez de esto, pregunte al padre: "¿Cómo cree que está Petra?" Ésa es una pregunta que justamente el padre puede contestar y Petra, no.

3. Cuando (y si) un niño tiene ganas de conversar, pregúntenle de qué quiere hablar. No presuman que saben cuáles son sus temas preferidos. Los temas más acertados generalmente son sus pasatiempos favoritos, sus intereses, los libros que han leído últimamente, las películas que han visto recientemente, sus programas de TV favoritos, y cosas del género. En otras palabras, la conversación debe girar alrededor de los intereses *del niño*.

4. Por lo general a un niño en edad escolar le gusta conversar acerca de su familia o de la escuela, pero no siempre, así que sean lo más sensibles posible. Por ejemplo, si los padres tienen problemas matrimoniales y están por separarse, no hablen sobre la familia. Si saben que el niño quiere desesperadamente regresar a la escuela, no hagan comentarios como "¿Sabes qué fue lo que te perdiste esta semana en la escuela? ¡Un payaso fue de visita a tu clase! Todos sabían que te hubiera encantado estar allí". Un comentario de este tipo lo hará sentirse todavía más excluido. Sería mejor decir: "Tus compañeros de clase realmente te extrañan y esperan que te mejores pronto para que así puedas estar de vuelta con ellos. Las cosas no son iguales sin ti." En otras palabras, permitan que el niño les pregunte qué fue lo que ocurrió la última semana en la escuela, y no le den información que podría entristecerlo o hacerlo enojar.

5. Si se sienten cómodos, los niños a esta edad se expresarán abiertamente, a veces utilizando un lenguaje no muy delicado. Aunque la enfermedad no justifica los malos modales, los adultos deben hacer

ciertas concesiones con niños que padecen dolor o sufren emocionalmente, y no deben ofenderse con la misma facilidad con la que podrían hacerlo frente a un niño sano que haga un comentario similar. Traten de no tomar el lenguaje grosero como algo personal. Los niños son inmaduros, y sus habilidades para manejar el estrés varían (al igual que en los adultos). Los padres pueden aprovechar estas situaciones de estrés para, amablemente, enseñar a los niños métodos mejores para manejar su frustración y dolor, pero ello no le corresponde al agente pastoral.

6.   Bajo ninguna circunstancia debe permitirse que el niño quiera dañar físicamente a otra persona. Si la niña que van a visitar está obviamente enojada y comienza a arrojar objetos, váyanse. Es posible que ella se calme, pero, a menos que conozcan muy bien a esta niña, ustedes probablemente no sean el agente promotor de dicha calma.

7.   Si el niño comienza a llorar, déjenlo, y no intenten detenerlo a causa de su incomodidad. Llorar es una reacción normal frente a la frustración, el miedo o el dolor, sentimientos que forman parte de la vida de un niño enfermo. Cuando un niño está llorando, pregúntenle si quiere un pañuelo o si prefiere que ustedes se vayan. Acaten la respuesta que reciban. Sobre todo, no intenten minimizar sus lágrimas haciendo bromas o distrayendo al niño a menos que lo conozcan muy bien como para saber que dicha actitud ayuda. Minimizar el dolor sólo lo vuelve trivial.

8.   Los niños de esta edad frecuentemente saben si están terminalmente enfermos o, de hecho, que están

muriéndose. Esto, en un principio, los vuelve mie-
dosos o enojados, pero, con el tiempo, la mayoría
de los niños termina aceptando su situación. Muchos niños no hablarán de la muerte porque tienen
miedo de que los padres o las visitas no sepan lo que
está sucediendo. A pesar de esto, tienen infinidad
de preguntas. Si les hacen alguna de estas preguntas, respondan lo más honesta y gentilmente que
puedan. Por ejemplo, si un niño les pregunta si podrá comer chocolate en el Cielo, respóndanle algo
como: "No estoy segura porque no he estado allí,
¡pero espero que sí! ¿Tú qué crees?" Ésta es una
respuesta honesta (nunca han estado en el Cielo, de
manera que no saben qué es lo que ocurre allí), sen-
sible (si un niño pregunta por el chocolate, seguramente desea que haya chocolate en el Cielo), y
amistosa (al igual que el niño, ustedes también esperan que haya chocolate en el Cielo, que haya mascotas, y así sucesivamente).

9. Tengan en cuenta que un niño enfermo puede estar
    enojado con Dios. Esto no siempre es así, pero su-
    cede con bastante frecuencia como para que lo
    mencionemos aquí. A muchos niños sus padres les
    han enseñado que Dios premia la bondad y castiga
    el mal. Cuando una niña está gravemente enferma
    o lesionada, seguramente se pregunte qué mal hizo
    para merecer esta enfermedad. Un acompañante
    debe estar preparado para escuchar que se le dirija
    cierto enojo a Dios sin reprender a la niña o inten-
    tar darle una lección. Pues Dios nos ha dado a to-
    dos una voluntad libre y permite que respondamos
    a las proposiciones divinas libremente. Si esto es

cierto para con los adultos, también lo es para con los niños. Si un niño les hace una pregunta sobre Dios, sean lo más honestos posible, siempre considerando el nivel de desarrollo del niño y sus circunstancias particulares. Recuerden: bajo una enfermedad o lesión grave —especialmente si hay dolor— ningún ser humano está en su mejor momento.

10. Reafirmen en la niña el amor de Dios. Denle la seguridad de que Dios está presente, incluso en el hospital y en su habitación. Si es posible, traigan a la niña algún objeto personal que le recuerde a Dios y le dé consuelo. Pregúntenle cuáles son las historias de la Biblia que más le gustan y por qué las prefiere. Ofrézcanle leerle esas historias, o conseguirle un libro con las mismas.

11. Pregunten a la niña si le gustaría rezar con ustedes. No fuercen una oración; después de todo, ¡Dios no fuerza a los adultos a orar! Siempre pueden rezar solos por esta niña y su familia. Si la niña no quiere rezar, no insistan. No le pregunten si le molesta que ustedes recen, *si su respuesta no hará ninguna diferencia*. En otras palabras, si de todas maneras van a orar, no le pregunten a la niña si está bien que lo hagan.

12. Si la niña accede a rezar, pregúntenle si quiere presidir la oración. Muchos niños a esta edad prefieren presidir las oraciones, de modo que no den por sentado que ustedes deberían hacerlo. También pregunten a la niña qué oraciones prefiere rezar.

13. Si un padre interrumpe o trata de responder por un niño que puede hacerlo, indíquenle gentilmente que les gustaría escuchar la opinión del niño.

14. Ejercer la pastoral con un niño enfermo incluye ejercerla con los padres, recordando que el padre puede ser positiva o negativamente afectado por lo que el agente pastoral diga. Comentarios bien intencionados, pero mal expresados, pueden no sólo herir a un padre emocionalmente sino también espiritualmente, en especial si se trata de comentarios sobre el juicio o la voluntad divina. Es importante que los agentes pastorales ayuden al padre y a la madre a reconocer que han sido buenos padres. La mejor manera de lograrlo es a través de una conversación tranquila y suaves palabras de aliento; en efecto, hay que tratar de que una persona angustiada logre un estado más calmo, más racional. Eviten dar consejos cuando nadie se los pide. Si se pide su opinión, escuchen primero qué opinan los padres al respecto antes de dar su parecer. Sobre todo, si se desatan discusiones entre los padres o entre los padres y otros parientes, no tomen parte en las mismas.

15. No hay una fórmula establecida sobre cómo se debe ejercer la pastoral. Algunos padres disfrutan de una conversación tranquila; a otros les hace bien que se los abrace; otros, en cambio, prefieren simplemente tener a su lado a una persona que los apoye en silencio. Traten cada situación como un evento único, y a cada familia como única.

16. Los niños formularán preguntas de por qué se produjo esta enfermedad o dolencia. Siempre es mejor no sugerir respuestas humanas racionales a cuestiones que no son racionales. Por ejemplo: ¿Quién puede explicar por qué un hermano tiene sida mien-

tras el otro está completamente sano? ¿Quién puede decir por qué un niño está en coma luego de un accidente automovilístico, mientras su hermano, que estaba en el mismo lado del auto, sólo tuvo lesiones menores? Lo más importante es acompañar a la familia en medio del dolor. Realmente dichas preguntas no esperan respuesta, pero la necesidad de formularlas —sin miedo al rechazo— es primordial.

17. Pregunten a los padres si quieren que el acompañantes, rece con ellos (en voz alta o en silencio), alejados del niño si es necesario; si no quieren, respeten su decisión. Además, ofrezcan a los padres guiar la oración. Aunque muchos padres rechazan esta invitación a presidir la oración, otros la aprecian y practican. A menos que el ministro de pastoral conozca bien a los padres, *siempre* deberá preguntarles qué prefieren en dichos casos.

18. Antes de partir, pregunten a los padres si hay algo que ustedes o la congregación puedan hacer por ellos. No supongan que saben qué necesita cada padre; siempre pregunten. Algunas de las cosas que necesitan podrán ser útiles (por ejemplo, llevar al grupo de niños a la escuela el día que tienen asignado para hacerlo), mientras que otros favores podrán ser más emocionales (por ejemplo, poder llamarlos cuando necesitan hablar con alguien). Ciertamente, todos los padres se benefician con la oración, pero pregúntenles si quieren que sus nombres se publiquen o mencionen en voz alta durante la misa. Algunos padres, especialmente cuando están atravesando momentos difíciles, necesitan privacidad.

Respeten eso. También recuerden preguntar si el otro padre o los otros hijos de la familia necesitan algo. Y, finalmente, pregunten tanto al padre como al niño si los pueden visitar de nuevo; tomen la respuesta del niño con la misma seriedad con la que toman la del padre. Fallar en cumplir una promesa, especialmente en lo que concierne a hacer una nueva visita, puede ser percibido como un rechazo o una falta de interés, no sólo por parte del agente pastoral sino también por parte de Dios, de quien ustedes son los representantes.

Capítulo 5

Preadolescencia y adolescencia temprana

Piaget: etapa operaciones formales;
Erikson: etapa identidad frente a difusión de roles;
Fowler: etapa sintético-convencional.

Etapas en la salud

Piaget sostenía que, a esta edad, los jóvenes comienzan a explorar sus límites. Han dejado de ser niños y comienzan a entrar en contacto con personas de un entorno social diferente al del hogar, y a enfrentarse con situaciones nuevas. Al adquirir mayor independencia y movilidad, el adolescente se encuentra frente a nuevos mundos. Comienzan a imaginarse a ellos mismos en situaciones no pensadas, a imaginar cómo sería ser alguien distinto, colocándose ellos mismos en la situación de otra persona. Comienzan a considerar seriamente qué les gustaría ser, ya adultos. Los poderes de razonamiento son más agudos que antes, y esta capacidad los ayuda a prepararse para la edad adulta. Piaget denominó a estos procesos "operaciones formales".

Por medio de estas experiencias nuevas, los jóvenes adolescentes van buscando forjar una identidad propia, independiente de la de sus padres. Erikson subrayó que los jóvenes tal vez tengan que probar diferentes roles para poder discernir quiénes son realmente. Para un adolescente es necesario probar todas las experiencias (o todos los amigos) posibles; para los adultos, el comportamiento de los adolescentes es "un comportamiento desordenado".

Esto también se verifica en la experiencia de fe de un adolescente. Fowler sostenía que los jóvenes de esta edad, no hace mucho, eran niños bastante literales en su aproximación a la fe. Parte de ello todavía es así e impulsa a los adolescentes a ser "convencionales", es decir, a abrazar, al menos en parte, lo que han venido profesando hasta este momento. No obstante, las nuevas experiencias demuestran a los adolescentes que no todas las personas que parecen, al menos superficialmente, "buenas", son necesariamente creyentes. Por ejemplo, un adolescente, a quien se le ha inculcado que una "buena persona" va a misa todos los domingos, conoce a una persona aparentemente "buena" que nunca va a misa, u observa que no todas las personas de la misma religión poseen las mismas convicciones. Entonces ¿qué es lo que está bien, lo que le inculcaron sus padres o lo que observa en otras personas? No es de extrañarse que esto resulte tan desconcertante para un adolescente; después de todo, sólo hace unos pocos años, estos jóvenes estaban totalmente seguros, eran absolutamente literales. Ahora, esa seguridad se ha evaporado.

Ésta es la edad en la que los niños comienzan a cuestionar su fe o las prácticas de su fe. Pueden comenzar a protestar seriamente por tener que ir a misa. Puede que se sientan atraídos por prácticas que no son cristianas. En otras palabras, comienzan a "sintetizar" un sistema de fe que puede tener elementos de distintas tradiciones.

Enfermedades y lesiones

Para cualquier persona, estar física y emocionalmente enfermo es desgastante, especialmente para aquellos que están iniciando una vida social activa fuera de sus hogares. En esta etapa de separación de los padres, los preadolescentes y jóvenes adolescentes desean ser más independientes y comienzan a confiar más en las opiniones y en el apoyo de su grupo de pares. Cuando un adolescente enferma, probablemente, por necesidad, no pueda pasar todo el tiempo que quisiera con sus pares. Además, tal vez dependa físicamente de sus padres, lo cual es una situación muy difícil de sobrellevar para un niño de esta edad, especialmente si los padres deben ayudar al adolescente a alimentarse o a higienizarse.

Los jóvenes de esta edad quieren "encajar" y ser como los demás. Una enfermedad o una lesión podrán provocar que un preadolescente o un joven adolescente se vea diferente, o necesite ser tratado de manera diferente al resto de la "barra de amigos". Tal vez tenga ciertas restricciones en su dieta o deba, en determinados momentos, tener el estómago vacío para tomar su medicina, lo que no le permitirá salir a comer con sus amigos. Una adolescente sentirá vergüenza porque perdió el cabello, debe usar peluca o necesita aparatos especiales para moverse. La mayoría de estos jóvenes enfermos son sensibles a las miradas o risas de los otros, aun cuando no estén dirigidas a ellos. Aunque estos jóvenes adolescentes necesitan el apoyo y la seguridad de sus padres, también *necesitan* la aprobación de sus pares.

Los preadolescentes o jóvenes adolescentes poseen una gran cantidad de energía que la enfermedad socava. Esto puede ser terriblemente deprimente para un adolescente que es consciente de la vitalidad que solía tener y de la vida social que podría llevar. Se preguntan si alguna vez volverán a estar bien para poder practicar deportes, bailar, tener citas o ir a fiestas. Se presionan a sí mismos rigurosamente; cuando fallan, se frustran fácilmente o se enojan consigo mismos o con quienes están a su alrededor. Las personas más íntimas —sus padres, hermanos o mejores amigos— están "a salvo", en el sentido de que es menos probable que haya un franco rechazo por parte de ellos. Un adolescente enfermo puede atravesar períodos de intensa hostilidad hacia sus seres más próximos, estar enojado un momento y ponerse a llorar en el momento siguiente.

Además, como estudiante, el adolescente enfermo no comparte el ámbito social y académico de la escuela y la rutina del día escolar. Es común que le preocupe perder demasiados días de clase y por ello tener que repetir de año, atrasándose así respecto de los niños de su edad. Como sólo los "tontos" repiten, ellos también deben ser unos tontos. ¿Quiénes serán a partir de entonces sus amigos, el grupo de niños de su misma edad que ahora está un año adelantado o el grupo menor con quien ahora el adolescente debe ir a clase? Repetir a causa de una enfermedad es de todas formas repetir; lo cual es desmoralizante.

Debido a que estos jóvenes están comenzando la etapa de las operaciones formales de sus vidas, pueden imaginar un futuro diferente de su situación actual. En el caso de un adolescente enfermo, seguramente se preguntará si hay algún futuro que esperar. ¿Se morirá antes de terminar el secundario? O, si existe un futuro, ¿qué clase de futuro será? ¿Uno con más limitaciones e incapacidades que las que tiene en el presente?

A estos jóvenes también les preocupa saber si alguna vez serán "queridos" románticamente por alguien. Los jóvenes de esta edad están comenzando el proceso de maduración de su identidad sexual. Justo en el momento en el que están siendo atraídos hacia otras personas románticamente (o físicamente), están experimentado una disminución en sus propios cuerpos. Tal vez sus cuerpos no son lo suficientemente femeninos o masculinos que quisieran. Tal vez se vean enfermos o parezcan más jóvenes. Su aspecto tiene efectos determinantes en la forja de su identidad. En consecuencia, estos adolescentes se sienten mal consigo mismos, sienten que no tienen mucho para dar. Después de todo, ¿quién los querrá a ellos cuando se puede tener a alguien fuerte y sano?

Los preadolescentes y los jóvenes adolescentes comprenden que la muerte es definitiva. Esto les causa mucho sufrimiento, al menos inicialmente, porque deben enfrentar la muerte solos, dado que todos sus amigos y parientes se quedarán. Efectivamente, están siendo separados contra su voluntad, lo cual rechazan. Aunque con el tiempo irán aceptando su enfermedad, la reacción inicial es casi siempre de enojo y una sensación de haber sido traicionados.

Espiritualmente, el preadolescente o el joven adolescente oscilan entre abrazar al Dios de su niñez y enojarse con el Dios del presente. "¿Por qué estoy tan enfermo y mis amigos están bien?", "¿Se me está castigando por algo?" son interrogantes comunes. A nadie le gusta sentir que no goza del favor de Dios, pero cuando uno está enfermo, ciertamente lo pone en duda. Una diferencia importante entre estos jóvenes y los niños pequeños es que los jóvenes son más incisivos en las preguntas que hacen. También pueden ver el futuro con más claridad, y los afecta mucho más pensar en un futuro de incapacidad que a un niño más pequeño que aún está bajo el cuidado de los padres.

Los pensamientos sobre Dios que tiene un adolescente están obviamente influidos por lo que se le ha enseñado y por lo que ha escuchado. Pero también se basa en sus propios poderes de razonamiento. "¿Qué clase de Dios permite que la gente se enferme?", preguntó una niña de trece años con un cáncer terminal. "Si yo fuera Dios, no dejaría que nadie se enfermara. Entonces, ¿por qué Dios permite que la gente se enferme si Dios es más inteligente que todos nosotros?" Es una pregunta a la que los adultos no podemos responder porque no sabemos más que lo que saben los niños y los adolescentes. Además, los jóvenes que intuyen que sus vidas pueden estar llegando a su fin, se preguntan hacia qué clase de Dios se dirigen y qué clase de vida los espera. Deploran la pérdida de una larga vida, especialmente la larga vida que parece que todos sus amigos tendrán. Deploran la muerte de muchos sueños. Esta aflicción se vuelve incluso más aguda a medida que crecen.

Enfoques pastorales

1. A medida que los niños crecen y se vuelven adolescentes, su privacidad y sus deseos deben respetarse, más aún que cuando eran pequeños. A muchos jóvenes adolescentes les gusta recibir a los agentes pastorales, estén o no presentes los padres. Si el padre está presente, pregúntenle al joven si prefiere que el padre se quede durante la visita. Muchos jóvenes a esta edad prefieren que sus padres permanezcan en la habitación cuando los visita una persona que no conocen.

2. Algunos adolescentes están disgustados con su religión y, por ende, con cualquiera que la represente. Algunos adolescentes pueden enojarse con Dios por su enfermedad, y negarse a hablar con cualquier persona que quiera hablarles de Dios. Así que sean sensibles. Cuando visiten a un adolescente, salúdenlo inmediatamente al entrar a la habitación y preséntense. Pero no den la impresión de que sólo han ido a ganar prosélitos. Un niño adolescente que murió de sida protestó: "No quiero que me visite mi pastor porque siempre parece que me está juzgando, ni mi madre porque tomaba drogas, contrajo el sida y luego me contagió a mí. No me gusta."

3. Al igual que con los demás pacientes, si el adolescente enfermo no quiere hablar o ni siquiera recibir a un visitante, no se queden. Después de todo, ustedes están allí como representantes de Dios para ayudar a una pequeña hermana o hermano. No están por ustedes mismos. Incluso si su visita es muy

breve, mientras respeten los deseos del joven, dirán más acerca del amor de Dios que si profirieran un sermón elocuente. Como instrumentos de Dios, nunca sabemos cómo Dios nos usará o qué efecto podemos tener en aquellos a quienes visitamos.

4. Si el adolescente desea hablar, déjenlo manejar la conversación. Ustedes pueden preguntarle si hay algo que desearía tener. No fuercen una conversación sobre Dios o la Iglesia. Si llegan a mencionarlo, y el adolescente parece desinteresado, dejen el tema.

5. Muchos adolescentes sacarán el tema de Dios y de la justicia divina que permite que la gente se enferme o muera. Al igual que con los más pequeños, respondan lo más honesta y gentilmente posible. Demuestren misericordia y amor, no meros conocimientos.

6. Si el adolescente comienza a llorar, déjenlo. Si se disculpa por llorar, asegúrenle que llorar es una reacción normal frente a la frustración, al miedo y al dolor, todos los cuales, en este momento, deben formar parte de su vida. Si las lágrimas del adolescente los inquietan, *no* dejen que el adolescente lo note, y nunca digan: "No llores." Después de todo, que ello les incomode es su problema y no del adolescente que sufre. Cuando una persona enferma llora, pregúntenle si quiere un pañuelo o desea que ustedes se retiren. Respeten la respuesta que reciban. Sobre todo, no intenten minimizar las lágrimas haciendo bromas o distrayendo al adolescente. Minimizar las lágrimas sólo las vuelve triviales.

7. Tengan en cuenta que un adolescente puede estar enojado con Dios por estar enfermo. Esto no siempre sucede, pero es una reacción muy común. A muchos adolescentes sus padres les han enseñado que Dios premia la bondad y castiga el mal. Cuando un adolescente está gravemente enfermo o lesionado, al igual que los niños más pequeños, puede preguntarse qué fue lo que hizo para merecer este castigo. El ministro de pastoral debe estar preparado para escuchar que se le dirija cierto enojo a Dios, no ponerse a la defensiva. Porque Dios nos ha dado a todos una voluntad libre, Dios permite que respondamos a la vida y a las proposiciones divinas libremente. Podemos incluso rechazar los dones y el amor de Dios. A pesar de esto, Dios nos sigue amando.

8. Por ello, reafirmen en el adolescente el amor de Dios. Denle la seguridad de que Dios está presente, incluso en el hospital y en su habitación. Si es posible, traigan al adolescente algún objeto personal que le recuerde a Dios y le dé consuelo. Pregúntenle si hay pasajes de la Biblia que le gustaría escuchar o leer, y facilítenselos.

9. Pregunten al adolescente si le gustaría rezar, y acaten su respuesta. Si no quiere rezar, no insistan.

10. Si la adolescente quiere rezar, pregúntenle si quiere presidir la oración. Nuevamente, respeten sus deseos.

11. Antes de partir, pregúntenle si pueden volver a visitarlo y si hay algo que puedan traerle. Cumplan la respuesta que reciban.

12. Efectuar la pastoral con los padres continúa siendo importante incluso cuando el hijo enfermo es un adolescente. Los padres son padres, y los padres de niños mayores o adolescentes necesitan apoyo tanto o más que los padres de niños más pequeños. La mayor diferencia que existe entre ejercer el ministerio a padres de niños pequeños y padres de adolescentes es que gran parte del ministerio que se da a los padres de adolescentes se realiza lejos de la cama del niño.

13. Los padres de niños adolescentes pueden ser positiva o negativamente afectados por lo que el agente pastoral dice. Comentarios bien intencionados pero mal expresados pueden no sólo herir a un padre emocionalmente, sino también espiritualmente; en especial si se trata de comentarios sobre el juicio o la voluntad divina. Es importante que los agentes pastorales hagan ver al padre y a la madre qué buenos padres han sido. La mejor manera de lograrlo es a través de una tranquila conversación y dándoles palabras de aliento, es decir, haciendo que un padre angustiado logre estar más calmodo. Resistan la tentación de dar consejos cuando nadie se los pide. Si se pide su opinión, escuchen primero qué opinan los padres al respecto. Y por sobre todo, si se desatan discusiones entre los padres, entre los padres y otros parientes o entre el adolescente y algún miembro de la familia, no tomen parte en las mismas.

14. No hay una fórmula establecida sobre cómo se debe ejercer el ministerio. Algunos padres disfrutan de una conversación tranquila; a otros les hace bien

que se los abrace; otros, en cambio, prefieren simplemente tener a su lado a una persona que los apoye en silencio. Traten cada situación como un evento único y a cada familia como única.

15. Los padres se preguntarán por qué su hijo contrajo esta enfermedad o dolencia. Siempre es mejor no ofrecer respuestas humanas racionales a cuestiones que no son racionales. Por ejemplo: ¿Quién puede explicar por qué un hermano tiene fibrosis cística mientras los otros están totalmente sanos? ¿Quién puede decir por qué un adolescente quedó paralítico a causa de un accidente en barco, mientras el hermano que iba con él sólo tuvo lesiones menores? Lo más importante es estar presente en medio del dolor de la familia. De hecho dichas preguntas no esperan una respuesta, pero la necesidad de formularlas —sin miedo al rechazo— es primordial.

16. Pregunten a los padres si quieren que el acompañante rece con ellos (en voz alta o en silencio), alejados del adolescente si es necesario; si no quieren, respeten su decisión. Además, ofrezcan a los padres guiar la oración. Aunque muchos padres rechazan esta invitación a presidir la oración, otros la aprecian y practican. A menos que el agente conozca bien a alguno de los padres, *siempre* pregúntenles qué prefieren en estos casos.

17. Antes de partir, pregunten a los padres si hay algo que ustedes o la comunidad puedan hacer por ellos. No supongan que saben qué necesita cada padre; siempre pregunten. Algunas de las cosas que necesiten podrán ser útiles (por ejemplo, hacer las compras para la familia, cuidar a algún hijo pequeño),

mientras que otros favores que puedan necesitar pueden ser más bien emocionales (por ejemplo, poder llamarlos cuando necesitan hablar con alguien). Ciertamente, todos los padres se benefician con la oración, pero pregúntenles si quieren que sus nombres se publiquen o mencionen en voz alta durante la misa. Algunos padres, especialmente en tiempos difíciles, necesitan privacidad. Respeten eso. También recuerden preguntar si el otro padre o los otros hijos necesitan algo. Pregunten si los pueden visitar de nuevo. Siempre cumplan cada uno de los deseos de la familia. Fallar en cumplir una promesa, especialmente en lo que concierne a realizar una nueva visita, puede ser percibido como un rechazo o una falta de interés, no sólo por parte del agente pastoral sino también por parte de Dios, de quien ustedes son los representantes.

Capítulo 6

Adolescencia mediana y tardía

Piaget: etapa operaciones formales;
Erikson: etapa identidad frente a difusión de roles;
Fowler: etapa individual-reflexiva.

Etapas en la salud

A esta edad, los jóvenes continúan el proceso que comenzaron en la adolescencia temprana. Continúan conociendo a personas de contextos diferentes y viviendo situaciones que nunca antes habían experimentado. Algunas de estas situaciones son moralmente desafiantes. En la adolescencia mediana y tardía, el adolescente tiene más independencia y movilidad que en años anteriores, de manera que el número de experiencias nuevas y relaciones que establece aumenta. Siempre están abriéndose nuevos mundos. Los adolescentes tardíos fácilmente se imaginan a sí mismos en otras situaciones o como si fueran otra persona. Comienzan a plantearse seriamente qué quieren ser, ya adultos. Los poderes de razonamiento están plenamente desarrollados, aunque sus reacciones emocionales no sean verdaderamente adultas.

Los adolescentes tardíos continúan alejándose de sus padres, tratando de forjar su propia identidad. Todavía existe esa necesidad, al menos para algunos adolescentes, de "probar" varios roles a fin de discernir quiénes son realmente. Un ejemplo común de ello es el constante cambio de especialización del adolescente en la escuela o la constante reevaluación de su futura profesión o vida laboral. Desde la perspectiva de un adolescente, es totalmente lógico probar todas las experiencias (o amigos) posibles; desde la perspectiva del adulto, éste es un comportamiento "desordenado" o desconcentrado.

En la etapa temprana, los jóvenes adolescentes se plantean su tradición religiosa. En la etapa tardía, los adolescentes se vuelcan hacia su interior, evaluando seriamente qué es lo que *ellos* creen. Esto requiere una gran reflexión interior y, ciertamente, es un proceso individual. En lo que respecta a las creencias religiosas, nadie puede decidir por una persona madura. Aunque el adolescente cuestione o critique su propia tradición de fe, siempre *será* parte de su pasado y, por lo tanto, parte de sí mismo, aunque se niegue a asistir a misa.

Enfermedades y lesiones

Los adolescentes tardíos piensan cada vez más como adultos. En algunos aspectos, puede suceder que piensen como sus padres; pero en otros, quizás piensen de manera diferente, llegando seriamente a querer tomar posturas opuestas a las adoptadas por los padres. Su sentido de independencia está en su punto máximo. Poseen un trabajo que les permite ganar dinero para gastar o para pagar la cuota de la escuela. Han aprendido a manejar, de manera que tienen la libertad de ir y venir como les plazca. Están definiendo sus metas en la vida y utilizan el tiempo en la escuela para prepararse a alcanzar estas metas. Están aprendiendo sobre su sexualidad, y tal vez ya tengan relaciones sexuales. Están comenzando a comprenderse mejor a ellos mismos y a determinar con qué tipo de pareja les gustaría casarse. Tienen que hacer elecciones sobre su actividad sexual, sobre tomar alcohol o consumir drogas, sobre copiarse en la escuela, etc. Tienen su propio círculo de amigos, el cual sus padres pueden o no apreciar. En cualquiera de estos pasos de desarrollo, los jóvenes adultos harán elecciones con las cuales los padres podrán diferir; pero, en la tarea de independizarse de los padres, es importante para los jóvenes poder decidir por sí mismos, con la guía de adultos en quienes confíen.

Cuando jóvenes de esta edad enferman, cualquiera o todos los pasos mencionados anteriormente pueden quedar truncos o ser totalmente anulados. Por ejemplo, puede darse que un adolescente, por su enfermedad, no tenga permitido conducir un automóvil solo o no pueda trabajar porque carece del vigor o la capacidad física suficientes. Tal vez, al haber tenido que faltar tanto a la escuela, pierda el interés por lo académico y no tenga aspiraciones para ir a la universidad; tal vez ni siquiera quiera terminar el secundario. La adolescente enferma quizás tenga pocos amigos porque la gente la rechaza o porque la enfermedad la retiene en su casa. Como seguramente no habrá tenido la oportunidad de cometer acciones indebidas (y no puede siquiera imaginar tener ocasiones para hacerlo), quizás nunca la hayan tentado cosas de este género.

Los adolescentes tardíos comprenden claramente cuáles son sus limitaciones con respecto a otros jóvenes. Ven lo que los otros pueden hacer y ellos no. Deploran lo que se han perdido; deploran que su futuro sea incierto, especialmente si tienen una enfermedad terminal. En un momento en el que todos los demás adolescentes están pensando en bailes de fin de año o universidades, estos adolescentes pueden estar pensando en volver a caminar o poder dejar el respirador. Mientras su grupo de pares se va independizando de sus padres, estos adolescentes enfermos pueden requerir del cuidado constante de sus padres o, en casos extremos, ser sobreprotegidos por los mismos por el temor que tienen a que, al dejarlos hacer cosas por sí mismos, dañen su ya precaria salud.

Si no poseen amigos de su misma edad que los apoyen, estos jóvenes corren el riesgo de retraerse y encerrarse en sí mismos. Creen que nunca serán queridos porque se ven o actúan de manera diferente. Sus expectativas de poder establecer nuevas amistades o tener una pareja pueden ser mínimas. Puede sobrevenirles tristeza o depresión frente a su suerte, o pueden adoptar una actitud de "¡qué me importa!". Como me dijo un joven de dieciséis años que tenía sida: "Realmente, ¿cuál es la diferencia? Después de todo, probablemente para cuando tenga veinte años estaré muerto, así que tengo que hacer *todo* ahora. ¿Quién va a detenerme? Cuando mis padres me dicen algo, les respondo: 'Sí, ustedes tuvieron su diversión al terminar la escuela, pero yo no voy a vivir tanto. Así que tengo que hacer lo que tengo que hacer ahora, antes de que sea demasiado tarde'." El *acting out* (conductas de carácter impulsivo que contrastan con el comportamiento habitual del individuo) —en lo sexual, con sustancias o con acciones ilegales— no siempre es un acto agresivo. A veces, es un acto de profunda desesperación y desesperanza.

Los adolescentes tardíos entienden claramente que la muerte es definitiva. Sienten que se les ha robado el futuro. Aunque no crean en una vida después de la muerte, ciertamente comprenden que lo que vendrá después no será igual a lo que experimentan ahora. Para algunos, la próxima vida no existe; para otros, es negativa pues implica la separación forzada de quienes aman; y para un tercer grupo, tiene que ser mejor que la vida presente.

Espiritualmente, estos jóvenes están muy enojados con los incidentes que les robaron una vida entera. Saben perfectamente todo lo que están perdiendo; lo comprenden mucho mejor que los niños más pequeños. Se lamentan por la vida que creen deberían haber tenido. Según su temperamento, pueden volverse llorores y depresivos, agresivos hostiles, o audaces. Varios de estos jóvenes dejan de creer en Dios porque están enojados con Él, y se niegan a creer que un Dios bueno permitiría que ellos estuvieran enfermos o se muriesen a una edad tan temprana. "¿Qué clase de Dios permite que los niños, especialmente los bebés, enfermen?", preguntó una confundida (y enojada) adolescente de quince años. Cuando creen en Dios, pueden expresar su enojo de otras maneras, como negándose a ir a misa, negándose a rezar (o a que otros recen por ellos), o negándose a hablar con el sacerdote cuando va a visitarlos. "Sólo váyase y déjeme sola —le dijo una joven de diecisiete años cuando éste fue a visitarla—. No quiero escuchar nada acerca de Dios. Lo único que quiero escuchar de Dios es que me voy a curar. ¿Puede prometerme eso? Si no puede, ¡entonces márchese!" Luego, se dio media vuelta y quedó mirando hacia la pared.

Enfoques pastorales

1. Respeten la privacidad y los deseos de los adolescentes tardíos. A la mayoría les gusta recibir a los agentes pastorales, especialmente si los padres no están presentes. Si el padre está presente, pregúntenle al joven si prefiere que el padre permanezca con ustedes durante la visita. Luego, cumplan con lo que el adolescente les diga.

2. Muchos de los adolescentes tardíos están disgustados con su religión y, por ende, con cualquiera que la represente. Algunos adolescentes pueden enojarse con Dios por su enfermedad y negarse a hablar con cualquier persona que quiera hablarles de Él. Así que, sean sensibles. Cuando visiten a un adolescente, salúdenlo inmediatamente al entrar a la habitación y preséntense, no den la impresión de que sólo han ido a ganar prosélitos. Una joven de dieciocho años que murió de sida protestó: "Espero que nuestro diácono no venga a verme. Yo no le importo, lo único que le importa es predicarme. Estoy demasiado enferma y cansada como para escucharlo. Él podrá ser el diácono de la iglesia, pero no es *mi* diácono."

3. Como con todos los demás pacientes, si el adolescente enfermo no quiere hablar o ni siquiera recibir

a una visita, no se queden. Después de todo, ustedes están allí, como representantes de Dios, para ayudar a su pequeña hermana o hermano. No están allí por ustedes mismos. Incluso si su visita es muy breve, ya que respetan los deseos del joven, pueden decir más acerca del amor de Dios que si utilizaran las palabras más bellas. Como instrumentos de Dios, nunca sabemos cómo Dios nos usará o qué efecto podemos tener en aquellos a quienes visitamos.

4. Si el adolescente desea hablar, déjenlo guiar la conversación. Pueden preguntarle si hay algo que desearía tener. No fuercen una conversación sobre Dios o la Iglesia. Si llegan a mencionarlo, y el adolescente parece desinteresado, dejen el tema.

5. Muchos adolescentes sacarán el tema de Dios y de la justicia divina que permite que la gente se enferme o muera. Querrán discutir con el agente pastoral, tratando de probar que el agente no sabe tanto como ellos. Al igual que con los más pequeños, respondan lo más honesta y gentilmente posible. Demuestren misericordia, amor y perdón, incluso (y especialmente) cuando el adolescente los ha insultado a ustedes o a sus creencias.

6. Si el adolescente comienza a llorar, déjenlo. Llorar en público es particularmente difícil para los adolescentes varones. Si se disculpa por estar llorando, asegúrenle que llorar es una reacción normal frente a la frustración, el miedo o el dolor, todo lo cual él debe estar experimentado en este momento. Si las lágrimas del adolescente los inquietan, *no* dejen que el adolescente lo note, y nunca digan: "No llores."

Al fin y al cabo, que a ustedes los incomode es su problema, y no del adolescente que sufre. Cuando una persona enferma llora, siéntense en silencio a su lado o pregúntenle si quiere un pañuelo o desea que ustedes se retiren, y actúen en consecuencia. Respeten la respuesta que reciban. Sobre todo, no intenten minimizar las lágrimas haciendo bromas o distrayendo al adolescente. Ello sería trivializar el dolor.

7. Tengan en cuenta que un adolescente puede estar enojado con Dios por estar enfermo. Esto no siempre sucede, pero es común. Cuando un adolescente está gravemente enfermo o lesionado, al igual que los niños más pequeños, puede preguntarse qué hizo para merecer ese castigo. El agente pastoral debe estar preparado para escuchar que se le dirija cierto enojo a Dios sin ponerse a la defensiva. Pues Dios nos ha dado a todos una voluntad libre, Dios permite que respondamos a la vida y a las proposiciones divinas libremente. Podemos incluso rechazar los dones y el amor de Dios. A pesar de esto, Dios nos sigue amando.

8. Por ello, reafirmen en el adolescente el amor de Dios. Denle la seguridad de que Dios está presente, incluso en el hospital y en su habitación. Si es posible, y ella quiere, alienten a la adolescente a tener algúna objeto personal que le dé consuelo. Si la adolescente mostró cierta disposición hacia la Biblia, pregúntenle si hay pasajes que le gustaría escuchar o leer, y facilítenselos.

9. Pregunten al adolescente si le gustaría rezar, y acaten su respuesta. Si no quiere rezar, no insistan.

10. Si la adolescente quiere rezar, pregúntenle si quiere presidir la oración. Nuevamente, respeten sus deseos.

11. Antes de partir, pregúntenle si pueden volver a visitarla y si hay algo que pueden traer. Cumplan con lo que les pida.

12. Ejercer la pastoral con los padres continúa siendo importante incluso cuando el niño enfermo es un adolescente tardío. Los padres son padres, y los padres de adolescentes tardíos y de jóvenes adultos necesitan del ministerio tanto o más que los padres de niños pequeños. La diferencia principal que existe entre ejercer la pastoral con padres de niños pequeños y padres de adolescentes es que gran parte del ministerio que se da a los padres de estos últimos se realiza lejos de la cama del hijo.

13. Los padres de adolescentes pueden ser positiva o negativamente afectados por lo que el agente pastoral diga. Comentarios bien intencionados pero mal expuestos pueden no sólo herir a un padre emocionalmente sino también espiritualmente, en especial si se trata de comentarios sobre el juicio o la voluntad de Dios. Es importante que los agentes pastorales hagan ver al padre y a la madre que han sido buenos padres. La mejor manera de lograrlo es a través de una tranquila conversación y de palabras de aliento, haciendo que un padre angustiado alcance un nivel más calmo, más racional. Al igual que con los otros grupos de edad que son tratados en este libro, no den consejo a los padres cuando no se les ha solicitado. Si se les pide un consejo, escuchen primero cuáles son las opiniones e impresiones de

los padres. Sobre todo, si se desatan discusiones entre los padres, entre los padres y otros parientes o
entre el adolescente y algún miembro de la familia,
no tomen parte en las mismas.

14. No hay una fórmula establecida sobre cómo ejercer
la pastoral. Algunos padres responden bien a una
conversación tranquila; a otros les hace bien que se
los abrace; otros, en cambio, prefieren simplemente tener a su lado a una persona que los apoye en
silencio. Traten cada situación como un evento único y a cada familia como única.

15. Los padres se preguntarán por qué su hijo contrajo
esta enfermedad o dolencia. Siempre es mejor no
sugerir respuestas humanas, racionales, a cuestiones que no son racionales. Por ejemplo: ¿Quién
puede explicar por qué un hermano tiene cáncer y
el otro está totalmente sano? ¿Quién puede decir
por qué un mellizo casi muere de un ataque de asma mientras el otro está perfectamente bien? Lo
importante es estar presente en medio del dolor de
la familia. De hecho, estas preguntas no esperan
una respuesta, pero la necesidad de formularlas
—sin miedo al rechazo— es primordial.

16. Pregunten a los padres si quieren que el acompañante rece con ellos (en voz alta o en silencio),
alejados del adolescente si es necesario; si no quieren, respeten su decisión. Además, ofrézcanles
guiar la oración. Aunque muchos padres rechazan
esta invitación para presidir la oración, otros la
aprecian y practican. A menos que el agente conozca bien a alguno de los padres, *siempre* deberá preguntárseles qué es lo que prefieren en estos casos.

17. Antes de partir, pregunten a los padres si hay algo que ustedes o la congregación puedan hacer por ellos. No presuman que saben qué necesita cada padre; siempre pregunten. Algunas de las cosas que necesiten podrán ser útiles (por ejemplo, hacer las compras, etcétera), mientras que otras podrán ser más de tipo emocional (por ejemplo, poder llamarlos cuando necesitan hablar con alguien). Ciertamente, todos los padres se benefician con la oración, pero pregúntenles si quieren que sus nombres se publiquen o se mencionen en voz alta durante la misa. Algunos padres, especialmente cuando están atravesando momentos difíciles, necesitan privacidad. Respeten eso. También recuerden preguntar si el otro padre o los otros hijos necesitan algo. Pregunten si los pueden visitar de nuevo, y cumplan con su palabra. Siempre cumplan lo mejor que puedan con las promesas que hagan. No cumplir una promesa, especialmente en lo que concierne a hacer una nueva visita, puede ser percibido como un rechazo o falta de interés, no sólo por parte del agente pastoral sino también por parte de Dios, de quien ustedes son los representantes.

SEGUNDA PARTE

Consideraciones especiales

Capítulo 7

Enfermedades crónicas

Algunos niños sufren enfermedades crónicas que son mortales. Sin embargo, la mayoría de los niños en esas situaciones no padecen enfermedades que sean inmediatamente mortales o terminales. La mayoría de estos niños debe aprender a sobrellevar su vida, afectada, a veces diariamente, por situaciones que no tienen cura, pero que no la amenazan en el corto plazo. Estas situaciones tienen momentos que están marcados por períodos quiescentes (períodos de remisión) y períodos de brotes (períodos de exacerbación). Estos períodos pueden durar varias semanas o meses o, en el caso de determinadas enfermedades, varias horas (como un ataque de asma).

¿Cuáles son algunas de estas enfermedades? Las más comunes son: problemas respiratorios (como el asma), problemas gastrointestinales (como la colitis), trastornos genitourinarios (como la enfermedad de riñón), problemas glandulares (como diabetes o problemas de tiroides), enfermedades de la piel (eczema o psoriasis), trastornos en el sistema nervioso central (como epilepsia), enfermedades del tejido conectivo (como la artritis o lupus), y trastornos de la sangre (como hemofilia o trastorno de la célula falciforme). Con las nuevas terapias, incluso la infección de HIV es considerada más como una enfermedad crónica que como una enfermedad terminal de rápida evolución.

Cada una de las enfermedades mencionadas anteriormente (y todas las no mencionadas) tiene sus propios signos y síntomas que establecen brotes o remisiones. La mayoría de estos signos y síntomas son conocidos por los pacientes y sus padres. Es más, muchos niños y sus familias tienen plena conciencia de los factores que pueden precipitar la aparición de brotes y qué condiciones, terapias o modalidades promueven su resolución.

Si el brote de la enfermedad puede predecirse, los niños que padecen enfermedades crónicas sienten que, de alguna manera, pueden controlarlas y, por lo tanto, controlar sus vidas. Cuando el brote de una enfermedad no puede predecirse, el niño o el adolescente se siente impotente, totalmente fuera de control y a merced de la enfermedad o situación que padece. Esto significa, en la práctica, que si una niña no puede predecir cuándo aparecerá su hipoglucemia, sentirá que está "caminando sobre la cuerda floja", nunca se sentirá cómoda al estar lejos de la casa o de los padres, nunca se sentirá cómoda con su dieta, nunca se sentirá cómoda con su medicación. Esto genera una gran ansiedad, no sólo en la niña o la adolescente, sino también en sus padres, que sienten que no pueden proteger adecuadamente a su hija a menos que estén junto a ella constantemente. Esta sobreprotección por parte de los padres, si bien es comprensible, puede retrasar la maduración del niño.

Además, no todos los brotes son iguales. Algunos brotes de asma, por ejemplo, se tratan sólo con una dosis extra de medicamentos inhalados. Otros brotes de la misma enfermedad requieren hospitalización y oxigenación. Muchos niños que habían mejorado en sus enfermedades crónicas, experimentan un retroceso cuando incurren en un brote particularmente severo, especialmente aquellos que necesitan ser hospitalizados. Además de la ansiedad normal que mencionamos anteriormente, los brotes graves precipitan un nivel de ansiedad todavía mayor, dado que el niño se pregunta: "¿Qué pasa si la próxima vez es peor? ¿Qué pasa si no puedo mejorar la próxima vez? ¿Y si me muero?" Los padres también se preocupan cuando la gravedad de los brotes es notoria, porque demuestra el poco control que tienen sobre ella.

Algunas enfermedades crónicas están asociadas con brotes leves. Es difícil comparar un brote de eczema con el agravamiento de un ataque de epilepsia o quetoacidosis diabética. Sin embargo, el brote de eczema para quien lo padece será mucho más antiestético y vergonzoso que el brote de diabetes que, si bien es más grave, resulta invisible y, por ello, se considera menos vergonzoso. Esto sucede especialmente a los adolescentes, para quienes las apariencias son fundamentales. Verse diferente es ser diferente.

Las enfermedades crónicas, generalmente, conllevan una ingesta diaria de medicamentos o someterse a cierta rutina de terapias. Si el niño o el adolescente afectados pueden tomar los medicamentos o recibir las terapias sin que los amigos o los maestros se enteren, generalmente la situación para él es mucho más fácil de sobrellevar que si los demás están al tanto. Por ejemplo, si el niño en la escuela debe tomar el medicamento en la enfermería y, para ello, debe salir de la clase, los compañeros lo notarán y harán preguntas al respecto. Si un niño o un adolescente debe retirarse de la escuela antes de hora para asistir a su terapia física u ocupacional, los demás lo notarán. Esto hace no sólo que el estudiante atraiga más la atención, sino que haga más visible su enfermedad.

De manera similar, llaman más la atención enfermedades que son dramáticas (por ejemplo, los ataques de epilepsia) o sobre las que la gente está mal informada (por ejemplo, el sida). El miedo que se tiene a dichas enfermedades lleva probablemente a que la persona afectada se sienta incluso más enojada con su condición.

Sea cual sea la situación, una enfermedad crónica hace que un niño o un adolescente se sientan diferentes y, a medida que van creciendo, los lleva a pensar en su propia mortalidad. Una enfermedad crónica es un recordatorio duro y constante de que el estado de salud puede cambiar con suma rapidez. Naturalmente, esto puede sucederle a cualquiera de nosotros: por una lesión o infección grave, cualquiera de nosotros puede perder su buena salud. La diferencia está en que, para las personas con ciertas enfermedades crónicas, esta realidad siempre está presente.

Esto puede afectar la confianza de una persona en el futuro o la confianza en su propio cuerpo. En el caso de una niña, puede también afectar su confianza en los padres que son incapaces de protegerla de su enfermedad o discapacidad. Esta falta de confianza genera ansiedad, miedo y, a veces, depresión y una sensación de estar perdido. Algunos niños con enfermedades crónicas piensan en suicidarse porque no pueden soportar la incertidumbre. Quieren separarse de los padres, pero temen que si se separan están perdidos. Estos miedos suscitan sentimientos de inadaptación y baja autoestima.

Algunos niños sondean sus enfermedades crónicas haciendo cosas que no deben, sólo para ver qué efectos tienen. Niños que deben seguir una dieta, comen cualquier cosa; niños que deben tomar una determinada medicina, no lo hacen para ver si empeoran. Otros niños se vuelven hipervigilantes y tienen temor de hacer cualquier cosa solos. Esto, también, puede generar baja autoestima y sentimientos de inadaptación.

Con respecto a su futuro, éstos niños se preguntan si alguna vez se casarán o tendrán hijos. Se preguntan si se morirán o cómo morirán. Morbosamente, tal como suena, se preguntan cómo serán sus últimos momentos.

Espiritualmente, muchos de estar niños se preguntan por qué Dios permite que padezcan esos sufrimientos. Cuando se sienten bien y sus enfermedades están en remisión, sienten que gozan del favor de Dios; cuando sufren brotes, sienten que Dios está enojado con ellos, castigándolos, o tratando de enseñarles una lección. Muchos niños quieren negociar con Dios: "Si me dejas ponerme bien, siempre recordaré decir mis oraciones." Lo cual funciona mientras ellos están bien. Sin embargo, cuando vuelven a empeorar quedan descorazonados, creyendo que Dios está descontento con ellos o que de alguna manera han disgustado a Dios.

Los niños con una enfermedad crónica pueden quedar particularmente desilusionados cuando experimentan un agravamiento de su condición o luego de un tratamiento curativo, por el cual rezaron intensamente pidiendo curarse. Ésta es una reacción natural, pero no es una razón para que los niños y los adolescentes se resistan a los tratamientos curativos. Sin embargo, indica que uno debe formarse para brindarles asistencia, y que debe conversarse con ellos sobre qué creen que sucederá y cuándo.

Enfoques pastorales

1. Para obtener información general acerca de los enfoques pastorales según la edad del niño, remitirse al capítulo apropiado.

2. Quizás visiten a niños o adolescentes durante el período de agravamiento de su enfermedad crónica. Por lo tanto, estos niños y adolescentes pueden estar desalentados cuando ustedes los vean. Manténganse lo más optimistas que sea posible, pero no piensen que su función es la de "animarlos". El desaliento es tal vez la reacción más natural frente a un brote de una enfermedad crónica.

3. Si es posible, antes de efectuar la visita, traten de averiguar algo acerca de la enfermedad crónica que padece el niño o el adolescente. Pueden hacerlo leyendo un poco sobre la enfermedad, o llamar al padre y pedirle información. Si vuestra comunidad tiene una enfermera parroquial, tal vez ella pueda ayudarlos. Saber algo acerca de la enfermedad que padece el niño o el adolescente evitará que hagan preguntas desatinadas o digan cosas inoportunas.

4. Si ustedes o sus hijos padecen la misma enfermedad crónica del niño que están visitando, resistan la tentación de decir: "Sé por lo que estás pasando", porque no saben lo que *este* niño está atravesando. Pero, si el niño o el adolescente quieren hablar, escúchenlos. Únicamente si ellos les preguntan si los entienden, compartan sus experiencias, pero háganlo brevemente. Después de todo, es su tiempo y su enfermedad, no los de ustedes.

5. Si un niño o un adolescente está enojado por el brote que tuvo su enfermedad, no juzguen su enojo. Acompáñenlo cariñosamente, sin que importe qué es lo que dicen. Nosotros, los adultos, decimos cosas, cuando estamos enfermos o desanimados, que no diríamos cuando nos sentimos bien. Los niños y los adolescentes no son diferentes. Además, Dios no le tiene miedo a la sinceridad, como lo prueban los Salmos (especialmente los Salmos 13, 22, 88 y 142), ¿por qué deberíamos tener miedo nosotros?

6. Si una niña o una adolescente preguntasen: "¿Por qué Dios permite que esto me suceda a mí?", o "¿Por qué Dios no me cura para siempre?", no den una respuesta aprendida de memoria. Por el contrario, recalquen que el brote no tiene nada que ver con cómo la juzga Dios, y que Dios quiere que ella esté lo mejor posible. A veces, los niños o adolescentes preguntarán: "¿Por qué Dios no hace un milagro y me cura completamente?" Una buena respuesta a esa pregunta será: "Los milagros son maravillosos, pero no ocurren todo el tiempo. Yo comprendo por qué quieres uno. No sabemos por qué los milagros suceden a ciertas personas, y a otras,

no. Pero sabemos que Dios ayuda a las personas cuando están enfermas enviándoles gente que las amará y cuidará muy bien de ellas." Sobre todo, hagan hincapié en que Dios los ama y siempre lo hará.

7. Si un niño o un adolescente dijesen: "Estoy tan cansado de estar así; desearía estar muerto", tomen el comentario con seriedad. Algunos niños y adolescentes con enfermedades crónicas piensan en el suicidio, porque "ya no puedo soportarlo" o porque "nadie me escucha".

8. Si el niño o el adolescente quiere, recen con él, pero no insistan. Permítanle elevar sus propias plegarias, si lo desea, y no "modifiquen" las oraciones aunque no se parezcan a las usadas por los adultos.

9. Pregunten si pueden volver a visitar al niño o al adolescente. Si aceptan, asegúrense de cumplir con la visita. No hacerlo puede ser percibido como un rechazo. Si el agente pastoral no regresa, también puede ser interpretado como un rechazo por parte de Dios (dado que ustedes lo representan), o la confirmación de que un brote de su enfermedad crónica es un castigo de Dios.

10. Recuerden ejercer la pastoral con los padres del niño o del adolescente. Es una enorme responsabilidad tener un niño o un adolescente con una enfermedad crónica que no tiene cura. Demuéstrenles su apoyo. Ofrézcanles orar juntos, pero siempre pregúntenles primero si ellos quieren conducir la oración. Pregúntenles si hay algo que ustedes o la congregación pueden hacer para ayudarlos a ellos y a sus familias. Quizás deban preguntar más de una

vez. Asegúrense de cumplir cualquier promesa que hagan (especialmente si han prometido visitarlos nuevamente). Den muestras del amor que Dios les tiene, no sólo con palabras, sino, y fundamentalmente, con actos.

11. No se olviden de los hermanos del niño enfermo. Es muy difícil ser un niño o un adolescente en una familia en la cual un hermano recibe toda la atención. Los hermanos también sufren cuando un hermano o una hermana están enfermos; así que también deben preguntar a ellos si necesitan algo. Los padres tal vez quieran sugerir qué pueden hacer ustedes u otros miembros de su grupo (especialmente los niños) por los hermanos. *Siempre* cumplan las promesas que hagan, especialmente en lo que respecta a volver a hacer una visita, para evitar que la familia pueda llegar a sentirse abandonada por la iglesia cuando más necesita de su ayuda.

Capítulo 8

Enfermedades mentales

En nuestra sociedad, las enfermedades mentales tienen un estigma que la mayoría de las enfermedades físicas no tiene. Esto se verifica incluso en niños y adolescentes que padecen estas enfermedades. De alguna manera, a pesar de que millones de personas sufren enfermedades mentales, predomina una actitud de que, si las personas afectadas lo intentasen, podrían simplemente "organizarse" y ayudarse a sí mismas. Esto, en realidad, es una necedad.

¿Qué tipos de diagnosis se incluyen como enfermedades mentales? Trastornos como depresión, desorden obsesivo compulsivo, escrupulosidad, autismo, esquizofrenia, comportamiento antisocial y comportamientos de oposición son incluidos aquí, pero naturalmente hay muchos otros. Algunas enfermedades son mejor conocidas que otras (como la esquizofrenia paranoica, enfermedad en la que la persona escucha voces que le instan a hacer algo malo, o el autismo, en la que una persona parece estar totalmente sumida en su mundo propio sin hacer caso de nadie ni de nada). Por otro lado, algunas parecen, al menos superficialmente, hasta manejables o más inofensivas que otras.

Debido a que hay mucha menos compasión con las enfermedades mentales que con la mayoría de las enfermedades físicas, es más difícil que la persona (y su familia) encuentre el apoyo necesario. Por el contrario, puede encontrar que, en ciertos casos, causa miedo, aversión o que se la evita. Desgraciadamente, debido a una seria falta de información sobre las causas, desarrollo y terapias de la mayoría de las enfermedades mentales, muchas personas no las consideran "enfermedades". Sin embargo, así como los niños y adolescentes con enfermedades físicas necesitan sentir el amor de Dios, así también (y tal vez incluso más) los niños y los adolescentes con enfermedades mentales necesitan experimentar este amor y saber con certeza que ellos también son considerados hijos de Dios.

Numerosas enfermedades mentales presentan estados físicos normales, aunque algunas (si no todas) presentan ciertas anormalidades en determinadas químicas cerebrales. Esto significa que muchas personas con enfermedades mentales pueden parecer normales pero no actuar normalmente. Como los seres humanos están tan preocupados con las apariencias, no es nada sorprendente que las enfermedades mentales de estas personas no sean cabalmente apreciadas. Los fármacos pueden (y frecuentemente lo hacen) alterar la química cerebral, pero por lo general no afectan la apariencia de la persona. Por lo tanto, las enfermedades mentales pueden ser invisibles.

Tener que tomar fármacos en forma permanente afecta a niños y adolescentes de distinta manera. Para algunos, su medicación puede ser la llave para sentirse mejor. Para otros, la necesidad de una medicación diaria es un crudo recordatorio de que no son normales ("¡Mi cerebro ni siquiera es normal!", gritó un niño de diez años), y que necesitan productos químicos para hacerlos normales. Tener que tomar fármacos todos los días es una molestia. Estos niños pueden culpar a los padres por sus enfermedades o culpar a los doctores que prescriben los medicamentos (especialmente si los medicamentos tienen efectos colaterales que el niño o el adolescente detestan). "Lo único que quiero es ser como todos los demás", se lamentó una niña deprimida.

Tomemos la depresión a modo de ejemplo. Algunos niños con depresión poseen una larga historia de casos de familiares de distintas generaciones que padecieron depresión, puede incluso haber una historia familiar de suicidios. Otros niños y adolescentes parecen sufrir de depresión por lo que les ha sucedido (como por ejemplo sufrir un abuso, experimentar la muerte —especialmente traumática— de padres o hermanos, los efectos de la guerra, etc.). En otros niños y adolescentes, es difícil saber qué causó la depresión. La depresión puede hacer surgir en la persona una baja autoestima y un sentimiento de inutilidad; pensamientos suicidas pueden entremeterse.

En lo espiritual, la niña o la adolescente deprimida quizás no pueda acceder a Dios, no importa lo intenso de su intento y no importa qué métodos se utilicen para ayudarla a lograrlo. Ella puede tener dudas sobre si Dios existe o, como hemos visto en otros capítulos, por qué Dios permite que ella sufra. "¿Por qué Dios no impidió que ese hombre me lastimara y por qué Dios no quiere hablarme ahora? ¿Acaso Dios no me ama?", preguntó una confundida niña de seis años. "Si Dios no va a hablarme, pues entonces yo tampoco le hablaré —razonó un niño de ocho años—. Después de todo, ¿qué ha hecho Dios por mí últimamente?"

Es probable que un agente pastoral visite a un niño o a un adolescente justo en el momento en que su enfermedad mental requirió una intervención grave, como su hospitalización. La hospitalización de un niño que padece una enfermedad mental a veces significa un alivio, porque quiere decir que un tratamiento para recobrar la salud es posible. Para otras personas, es una prueba concreta de que son mentalmente defectuosos. Esto sucede especialmente si el joven está siendo hospitalizado por un intento de suicidio. A pesar de que muchas personas pueden considerar el suicidio como un acto sumamente egoísta, para muchos niños y adolescentes que intentan suicidarse, es la única manera de terminar con una vida que ya no vale la pena vivir. Soportarlo es demasiado duro y nadie parece poder ayudarlos realmente. En sus mentes, tampoco Dios.

Enfoques pastorales

1. Para obtener información general acerca de los enfoques pastorales según la edad del niño, remitirse al capítulo apropiado.

2. Si es posible, antes de la visita, traten de averiguar algo acerca de la enfermedad mental del niño o del adolescente. Pueden hacerlo leyendo un poco sobre la enfermedad, o llamar al padre y pedirle información. Si vuestra comunidad tiene una enfermera pa-

rroquial, tal vez ella pueda ayudarlos. Saber algo acerca de la enfermedad que padece el niño o el adolescente, evitará que ustedes hagan preguntas desatinadas o digan cosas inoportunas.

3. Los niños y adolescentes, que son conscientes de sus problemas mentales, frecuentemente experimentan una disminución de su autoestima. Muchas veces, creen que realmente son defectuosos. Recordemos al niño que gimió: "¡Mi cerebro ni siquiera es normal!" Asegúrenles que son amados por Dios tal como son.

4. Algunos niños y adolescentes con enfermedades mentales pueden comportarse de manera alarmante. No se muestren temerosos, porque ello podría hacerlos actuar de manera todavía más alarmente para lograr una mayor reacción por parte de ustedes; o podría llevarlos a un retraimiento hacia ustedes. Como representantes de Dios, su tarea es manifestar su amor. Cuando tengan dudas, traten de imaginar cómo los hubiera tratado Jesús, y actúen en consecuencia.

5. Si un niño o un adolescente dicen: "Estoy tan cansado de estar así; desearía estar muerto", tomen el comentario con seriedad. Algunos niños y adolescentes con enfermedades mentales consideran el suicidio como una alternativa, porque "ya no puedo soportarlo". Esto ocurre especialmente con los casos de depresión y esquizofrenia paranoica.

6. Recen con el niño o el adolescente si ellos lo desean, pero no insistan. Permítanles elevar sus propias plegarias, si lo desean, y no "modifiquen" sus oraciones aunque no las digan correctamente. En nuestra

angustia, Dios escucha nuestra honestidad. Hagan lo mismo.

7. Pregunten si pueden volver a visitar al niño o al adolescente. Si él acepta, asegúrense de cumplir con su palabra. No hacerlo puede ser percibido como un rechazo. Si el acompañante no regresa, también puede ser interpretado como un rechazo por parte de Dios (dado que ustedes representan a Dios), o la confirmación de que una enfermedad mental es vergonzosa.

8. Recuerden ejercer la pastoral con los padres del niño o del adolescente. Es una enorme responsabilidad tener un niño con una enfermedad mental, especialmente porque estos niños reciben poca compasión. Demuéstrenles su apoyo y que Dios los ama. Ofrézcanles orar juntos, pero siempre permítanles conducir la oración. Pregúntenles si hay algo que ustedes o la comunidad puedan hacer para ayudarlos, a ellos y a sus familias. Quizás deban preguntar más de una vez. Asegúrense de cumplir cualquier promesa que hagan (especialmente si han prometido visitarlos nuevamente). Den muestras del amor que Dios les tiene, no sólo con palabras, sino, y fundamentalmente, con actos.

9. No se olviden de los hermanos del niño mentalmente enfermo. Es muy difícil ser un niño o un adolescente en una familia en la cual un hermano recibe toda la atención. Los hermanos también sufren cuando un hermano o una hermana padecen una enfermedad mental, especialmente cuando la enfermedad tiene visos negativos. De modo que a ellos también deben ofrecerles su ayuda. Los padres pue-

den sugerir qué pueden hacer ustedes u otros miembros de su comunidad (especialmente los niños) por los hermanos. Siempre cumplan las promesas que hagan para que los miembros de la familia no se sientan abandonados por su iglesia cuando más la necesitan.

Capítulo 9

Lesiones catastróficas

C uando un niño o un adolescente contraen una lesión grave o mortal, surgen numerosos interrogantes. "¿Por qué sucedió? ¿Pudo haberse prevenido? ¿De quién fue la culpa?" Los niños mayores y los adolescentes pueden hacerse estas preguntas; pero los padres, cualquiera sea la edad de su hijo, invariablemente se las harán buscando reafirmar que la lesión no se debió a un descuido suyo, a que no protegieron adecuadamente a su hijo.

Cuando un niño que era normal sufre una lesión, el mundo de los padres queda inmediatamente patas arriba. Cuando a la mañana partió rumbo a la escuela, su hijo de diez años era un niño completamente sano; al término del día, está en coma y en una máquina corazón-pulmón. Cuando un niño o un adolescente padecen una enfermedad crónica o terminal, los padres tienen tiempo de adaptarse a la disminución de sus habilidades físicas; lo mismo le ocurre al niño o al adolescente. En una lesión traumática, no hay tiempo de prepararse o adaptarse. En un minuto, la niña o la adolescente están bien, y en el minuto siguiente, están incapacitadas.

La gravedad y los efectos secundarios de una lesión traumática varían. Las lesiones traumáticas más comunes y más graves son causadas por accidentes de buceo y ahogamiento, por accidentes de automóvil (como peatón o pasajero), por quemaduras (producidas por incendios en el hogar), y por trauma violento (heridas con arma de fuego, heridas con arma blanca o trauma cerrado). También dentro de esta categoría de trauma violento estarían incluidas la violencia física y las violaciones. Estas lesiones pueden ser leves o llegar a ser fatales. Cualquiera de estas lesiones puede causar parálisis (según el grado y el lugar de la lesión). Según el órgano que esté lesionado, el trauma cerrado puede ser de abdomen, de tórax, craneano o de la médula espinal. Algunos de éstos requieren operación inmediata, mientras que otros, no. Algunos requieren meses de rehabilitación mientras que otros se prestan a una resolución más rápida y el niño o el adolescente pueden recuperar el estado de salud física que tenían antes de la lesión.

La conmoción de pasar de estar bien a encontrarse con dispositivos de tracción, con un respirador, o paralítico no puede describirse. Es natural, entonces, que sobrevengan un total descreimiento y depresión. Ello les sucede a todas las personas, salvo a los niños pequeños que no son cabalmente conscientes de la gravedad de sus lesiones. Los niños más grandes y los adolescentes comprenden perfectamente qué era lo que podían hacer (tal vez uno o dos días antes), y ya no pueden. Es comprensible que se muestren sobrecogidos y aterrorizados. Si el niño o el adolescente recuerdan claramente el evento traumático, esto agudiza su aflicción psíquica pues reviven el trauma una y otra vez. Esto también ocurre con los padres que estaban presentes cuando ocurrió el trauma.

La mayoría de los niños y adolescentes en esta situación creen que van a mejorarse, y es importante que lo crean pues eso puede estimularlos en los momentos de desaliento. Por supuesto, muchas de estas lesiones se curan. Los huesos rotos vuelven a unirse; las quemaduras sanan; en las laceraciones aparecen tejidos nuevos. Sin embargo, incluso cuando se estén curando, la recuperación puede ir acompañada de mucho dolor y numerosos procedimientos y terapias. La recuperación puede tomar mucho más tiempo del que cree la mayoría de los niños, porque ellos siguen recordando cómo eran antes del accidente.

En otros casos, en cambio, una recuperación completa no es posible. Una médula espinal fracturada no volverá a regenerarse; una herida de bala en la cabeza de un niño o un adolescente puede dañar para siempre su capacidad para hablar o moverse; y, a pesar de que la terapia puede mejorar la condición inicial del niño o del adolescente, puede ocurrir que no recuperen el estado de salud del que gozaban antes del accidente. Esto causará una enorme frustración y tristeza al niño o al adolescente (si son conscientesde sus deficiencias), y agonía a los padres y hermanos.

Muchos niños y adolescentes que han sufrido lesiones traumáticas evocan recurrentemente las escenas de los hechos que produjeron la lesión y, a veces, la lesión misma. El niño que casi se ahoga tiene frecuentes pesadillas en las que se encuentra bajo el agua y no puede respirar. El adolescente que recibió un disparo en un asalto a mano armada sentirá que una y otra vez aparece en sus pensamientos la imagen del asaltante o el sonido de los disparos. La niña que se quemó en un incendio en su hogar cuenta que no puede dejar de oler el olor de su carne quemada, incluso meses después. La adolescente que sufrió una lesión en un accidente de tránsito se impresiona cada vez que ve una camioneta similar a la que chocó con el auto. Estas evocaciones no son necesariamente proporcionales a la gravedad de la lesión, porque, a veces, personas que han sufrido lesiones relativamente leves tienen recuerdos más vívidos que otras que sufrieron lesiones graves y no recuerdan nada de los hechos.

El futuro que los padres proyectaban para sus hijos pequeños o adolescentes se ve radicalmente alterado luego de una lesión traumática. En el caso de una lesión catastrófica, a los padres les preocupa qué podrá hacer su hijo en el futuro, incluyendo sus posibilidades de encontrar trabajo. Les preocupa también quién cuidará de sus hijos si algo llegara a sucederles a ellos. Niños mayores y adolescentes que son conscientes de lo que ocurre, tienen las mismas preocupaciones. Los padres también pueden estar preocupados por el costo de la terapia, especialmente si la familia no cuenta con un seguro de salud adecuado. Puede esperarse que sientan enojo consigo mismos por no haber sabido cuidar a su hijo, enojo con su hijo por tener la lesión (por ilógico que suene), enojo con aquellos que perpetraron o causaron la lesión, y enojo con su pareja por diferentes razones. Muchos matrimonios se resienten cuando algún miembro de la familia sufre una lesión catastrófica. Debido al enojo que sienten el uno hacia el otro, una abrumadora fatiga y baja autoestima, la relación emocional y sexual de una pareja puede resentirse muchísimo. Algunos matrimonios no pueden soportar la tensión y acaban divorciándose.

Muchos padres pueden sentir que están demasiado ocupados para rezar o ir a misa porque deben atender las necesidades de su hijo. Otros pueden estar enojados con Dios por no impedir la lesión ("¿Por qué Dios no protegió a mi hijo de ese fuego cruzado?" "¿Por qué Dios permitió que mi hija se golpeara la cabeza?" "¿Por qué Dios no hizo que lloviera así los niños no iban a nadar?"), o enojados con Dios porque no hace un milagro para que sus hijos se recuperen ("Dios cura a otras personas, ¿por qué no cura a mi hijo?"). Los padres pueden enojarse con los agentes pastorales (laicos u ordenados) dado que ellos representan a Dios. Otros padres no están enojados con Dios, pero sienten que Dios los ha abandonado completamente y no atiende sus súplicas.

Enfoques pastorales

1. Para obtener información general acerca de los enfoques pastorales según la edad del niño, remitirse al capítulo apropiado.

2. Si es posible, antes de realizar la visita traten de averiguar algo acerca de la lesión o la enfermedad del niño o del adolescente. Esto los ayudará a estar preparados para afrontar las imágenes u olores con los que puedan encontrarse al entrar por primera vez, en la habitación del niño o del adolescente y a evi-

tar que se note que están impresionados. Saber algo acerca del grado de la lesión, evitará que hagan preguntas desatinadas o digan cosas inoportunas.

3. Los niños y los adolescentes que son conscientes de sus lesiones pueden sentir una gran depresión cuando piensan en su estado actual. Estén preparados para ello. Sean positivos sin esperar "animarlos". Al fin y al cabo, cierto grado de depresión tal vez sea la reacción más apropiada frente a una lesión.

4. Algunos niños y adolescentes con lesiones graves pueden tener un aspecto muy desagradable debido a todo el equipamiento médico que tienen conectado. No permitan que el miedo o la aprehensión de ustedes se note en su voz o en sus acciones. No se muestren temerosos, porque ello puede hacer que los niños se retraigan emocionalmente de ustedes. No se muestren sorprendidos, porque ellos pueden tomarlo como una prueba de que están en una condición peor de la que realmente están. Como representantes de Dios, su tarea es manifestar su amor. Cuando tengan dudas, traten de imaginar cómo los hubiera tratado Jesús y actúen en consecuencia. Si verdaderamente sienten que si realizan la visita "lo arruinarán", busquen un reemplazante.

5. Si un niño o un adolescente dicen: "Estoy tan cansado de estar así; desearía estar muerto," tomen el comentario con seriedad. Varios niños y adolescentes con lesiones graves e irreversibles piensan en suicidarse porque "ya no pueden soportarlo". Esto ocurre, especialmente, cuando los niños quedan paralíticos o cuando su aspecto ha cambiado drásticamente a causa de la lesión.

6. Sean especialmente sensibles si la lesión del niño o del adolescente fue causada por abuso físico, abuso sexual o violación. Algunos niños que sufren cualquiera de estos abusos se sienten "sucios". Transmítanles claramente con palabras y acciones que Dios los ama. Como la niña o la adolescente no querrá que ustedes sepan que fue violada (por ejemplo), no mencionen el tema a menos que ella lo haga. Si ella lo hace, gentil pero firmemente, señálenle que la violación (o el abuso) *no* fue su culpa.

7. Recen con el niño o el adolescente si ellos lo desean, pero no insistan. Permítanles decir sus propias plegarias, si lo desean. No se sorprendan si las plegarias están llenas de enojo hacia el causante de su mal o hacia Dios. Un niño, orando, decía a Dios: "¿Por qué permitiste que me sucediera esto?", mientras con sus puños golpeaba la almohada. La manera en que oraba este niño muestra que aún mantiene una relación con Dios. Es cierto, no comprende por qué Dios, que podría haberlo protegido, no lo hizo; sin embargo, aún puede comunicar su frustración, tristeza y desilusión a Dios.

8. Pregunten si pueden volver a visitar al niño o al adolescente. Si aceptan, asegúrense de hacerlo. Que un agente pastoral no cumpla con la visita prometida puede ser percibido como un rechazo por parte de Dios (dado que ustedes son los representantes de Dios), o la confirmación de que la apariencia del niño es perturbadora.

9. Recuerden ejercer la pastoral con los padres del niño o del adolescente. Es una enorme responsabilidad tener un hijo con una lesión catastrófica. Den-

les su apoyo y manifiesten el amor de Dios. Recuerden, los padres también están sufriendo. Ofrézcanles rezar con ellos, pero siempre permítanles guiar la oración. Pregúntenles si hay algo que ustedes o la comunidad pueden hacer para ayudarlos, a ellos y a sus familias. Quizás deban preguntar más de una vez. Asegúrense de cumplir cualquier promesa que hagan. Pruébenles que Dios los ama, no sólo con palabras, sino, y fundamentalmente, con actos.

10. No olviden a los hermanos del niño lesionado. Es muy difícil para un niño o un adolescente cuando un hermano recibe toda la atención. Los hermanos también sufren cuando un hermano o una hermana han sufrido un trauma grave, especialmente cuando las circunstancias del trauma tienen visos negativos. De modo que pregúntenles también a ellos si necesitan algo. Los padres pueden sugerir qué pueden hacer ustedes u otros miembros de su comunidad (especialmente los niños), por los hermanos. Siempre cumplan las promesas que hagan.

CAPÍTULO 10

Enfermedades terminales

Los niños y los adolescentes con enfermedades terminales se encuentran en una categoría especial. Aunque cualquiera de las enfermedades que hemos descrito podría ser terminal frente a la aparición de un brote grave, en este capítulo trataremos dos de las enfermedades terminales más comunes, hoy en día, en niños y adolescentes: el cáncer y el sida.

Existen tantos tipos de cánceres diferentes como tipos de células hay en el cuerpo. A pesar de que sabemos cuáles son las causas de ciertos cánceres, no sabemos la causa de otros. Además, incluso cuando conocemos las causas, no siempre podemos predecir cuándo se desarrollará el cáncer. Por ejemplo, sabemos que fumar provoca cáncer de pulmón. Sin embargo, no todas las personas que fuman contraen cáncer de pulmón, y algunas personas que contraen cáncer de pulmón nunca han fumado. En Hiroshima, por ejemplo, muchas personas que estuvieron expuestas a la explosión hace durante cincuenta años murieron de cáncer, pero no todas.

El cáncer consiste en una desordenada y descontrolada proliferación de células. Los mecanismos corporales que normalmente limitan el crecimiento celular no funcionan. El sistema inmunológico, que normalmente actúa como sistema de vigilancia y detecta cualquier número reducido de células anormales, no ha hecho su trabajo por razones poco claras. Por lo tanto, varias células anormales logran multiplicarse y proliferar, creando un tumor.

En el caso del sida, esta enfermedad es frecuentemente considerada como la fase final de una infección por HIV. El HIV es un virus que ataca a determinados glóbulos blancos, llamados linfocitos. Los linfocitos son necesarios para nuestra salud porque son los responsables de combatir ciertas infecciones. El virus HIV se inserta en el núcleo de la célula linfocito, asegurando así su multiplicación. El virus causa enfermedad y fallas orgánicas múltiples. Las personas con sida, generalmente, se van consumiendo y mueren de severas infecciones, insuficiencia respiratoria, insuficiencia renal o insuficiencia cardíaca. El HIV puede también atacar al cerebro y al sistema nervioso central. *Ningún* órgano es inmune a sus efectos.

Los niños y adolescentes experimentan ciertos malestares que las personas mayores no padecen, y viceversa. De la misma manera, los niños y adolescentes experimentan manifestaciones de la infección de HIV que no experimentan las personas mayores, y viceversa.

Muchos malestares tienen cura, aunque la terapia necesaria para lograrlo suele ser prolongada, desagradable y dolorosa. A la fecha de este escrito, la infección de HIV puede ser controlada (pero no tiene cura) tomando diariamente numerosísimos medicamentos.

Este capítulo se concentra en las fases finales de estas dos enfermedades. En ambos casos, a los padres probablemente se les ha informado el pronóstico. En el caso del HIV, el/los padre/s pueden ya haber muerto a causa de la misma enfermedad, de manera que el tutor del niño o del adolescente infectados puede ser un abuelo, otro pariente o un padre adoptivo. Con ambas enfermedades, los padres o los tutores se debaten acerca de si deben informar al niño o al adolescente de su diagnóstico y pronóstico, o no. ¿Ese informe los hará tomar los medicamentos y aceptar la terapia con mayor conciencia? ¿O los deprimirá y desmoralizará (lo que podría dar como resultado una más rápida pérdida de la salud)? ¿Contárselos los hará pensar en suicidarse? ¿Informarlos los privará de días felices sin preocupaciones o les dará, encambio, la oportunidad de cerrar su vida?

Mi experiencia ha sido que muchos niños en edad escolar y adolescentes saben lo enfermos que están sin que nadie se los haya dicho. Una vez, así me dijo un niño: "No le digas nada a mi mamá y a mi papá, pero no creo que vaya a salir del hospital. Ellos están todo el tiempo diciéndome lo grandiosa que será la fiesta de cumpleaños que daré en el patio de casa, pero eso no sucederá." En un intento por proteger a sus padres o tutores, los niños y adolescentes no revelan sus percepciones, temores o esperanzas.

Al principio, cuando los niños o adolescentes se enteran de que están enfermos, atraviesan etapas similares a las que identificó Elisabeth Kubler-Ross en los adultos. No todos los niños y adolescentes atraviesan las etapas exactamente como ella las describió, pero conocer las etapas relacionadas con la confrontación de una enfermedad ayuda a los tutores, familiares y agentes pastorales a entender mejor en qué etapa de comprensión está situado un niño o un adolescente.

La primera etapa es de *negación*: el diagnóstico está mal, los doctores son estúpidos. La segunda etapa es de *ira*: si el doctor hubiese realizado el examen médico correcto, ahora yo no me estaría muriendo, si hubiese comido vegetales, ahora no tendría cáncer, si hubiese tenido otros padres, no padecería el sida. La tercera etapa es de negociación: si prometo rezar mis oraciones todos los días y nunca más golpeo a mi hermano, Dios hará que yo vuelva a estar bien. La cuarta etapa es de *depresión*: Dios no está ayudándome y yo no me voy a curar; creo que ya no hay nada que pueda ayudarme. La etapa final es de *aceptación*.

Estas etapas no tienen que experimentarse en el orden dado, y cualquiera puede atravesar una etapa más de una vez. Esto ocurre especialmente si sobreviene una recaída, o si un niño o un adolescente se han convencido a sí mismos de que se mejorarán para siempre, sólo para volver a enfermarse gravemente unos meses más tarde. Como hemos visto anteriormente, para muchos niños, adolescentes y adultos, que la enfermedad no pueda predecirse es el aspecto más difícil de sobrellevar.

Si una persona está visitando a un niño o a un adolescente, poco después de que se les ha dicho que están muy enfermos de cáncer o sida, y si este niño o adolescente realmente no han sospechado el diagnóstico, debe tenerse sumo cuidado. Un niño o un adolescente agonizantes pueden estar llorosos y deprimidos, o enojados y deprimidos. Pueden decir cosas detestables e hirientes mientras, al mismo tiempo, necesitan mucha contención. Pueden hacer planes para regalar sus pertenencias y, al mismo tiempo, se aferran a ellas fuertemente. A veces, lo más que puede hacer un agente pastoral para aliviarlo o una visita es sentarse en silencio en solidaridad con el niño o adolescente, sin intentar dirigir una conversación, sino, permitir que el menor lo haga. Esto es bastante difícil, porque nosotros, los adultos, queremos "hacerlo mejor". Pero no podemos. La charla puede ser más para *nuestro* beneficio que para la persona junto a cuyo lecho estamos sentados.

En el caso de niños y adolescentes que están muriendo de sida, por lo general, ni siquiera tienen el alivio de poder hablar abierta y honestamente de su enfermedad por el estigma social que lleva ligado. Incluso, a pesar de que estos niños y adolescentes no hicieron nada para contraer esta enfermedad, es aún más difícil emocionalmente estar muriendo de sida que de otras enfermedades. Además, pueden estar avergonzados de que un agente pastoral sepa que tienen sida, por temor a que esta persona pueda rechazarlos como lo han hecho otros.

En lo espiritual, estos niños y adolescentes tienen serios interrogantes acerca de los motivos de Dios para permitir que ellos estén tan enfermos. Esto ocurre especialmente con los niños y adolescentes que se contagiaron el HIV de sus madres. "Mi madre tomaba drogas, ¿yo por qué tengo que morir?", gritó una niña de diez años. Algunos niños y adolescentes pueden incluso creer que Dios *los ha enfermado* a propósito para enseñarles una lección. De todas formas, es probable que no quieran rezar, que no quieran escuchar una sola palabra acerca de Dios ni ver a ningún miembro de la Iglesia.

Enfoques pastorales

1. Para obtener información general acerca de los enfoques pastorales según la edad del niño, remitirse al capítulo apropiado.

2. Si es posible, antes de efectuar la visita, traten de averiguar algo acerca de la lesión o enfermedad del niño o del adolescente. Esto los ayudará a prepararse para enfrentar las imágenes u olores con los que puedan encontrarse, y a evitar que se vean sorprendidos cuando entren por primera vez a la habitación del niño o del adolescente. Saber algo acerca del grado de la lesión evitará que hagan preguntas desatinadas o digan cosas inoportunas.

3. Los niños y adolescentes que son conscientes de su diagnóstico pueden sentir una gran depresión cuando piensan en su estado actual y su futuro. Estén preparados para ello. Sean positivos sin esperar "animarlos". Al fin y al cabo, cierto grado de depresión puede ser la reacción más natural que puede experimentar un niño o un adolescente que saben que van a morir a edad temprana. La tarea de ustedes consiste en manifestar el amor y la presencia de Dios.

4. Algunos niños y adolescentes agonizantes pueden tener un aspecto muy desagradable debido a todo el equipamiento médico que tienen conectado. No permitan que se perciba —en su voz o en sus acciones— su miedo o su aprehensión. No se muestren temerosos porque puede que ellos se retraigan emocionalmente de ustedes. No se muestren sorprendi-

dos, porque ellos pueden inferir que están más próximos a la muerte de lo que realmente están. Como representantes de Dios, su tarea es manifestar su amor. Cuando tengan dudas, traten de imaginar cómo los hubiera tratado Jesús y actúen en consecuencia. Si verdaderamente sienten que si realizan la visita "lo arruinarán", busquen otro agente pastoral para que haga la visita.

5. Si un niño o un adolescente dicen: "Estoy tan cansado de estar así; desearía estar muerto", tomen el comentario con seriedad. Algunos niños y adolescentes con enfermedades graves e irreversibles, como el cáncer o el sida, piensan en suicidarse porque "ya no pueden soportarlo". Hagan saber a estos jóvenes que ustedes y su comunidad están orando para que ellos se curen.

6. Si realizan más de una visita, no se sorprendan si la vitalidad del niño o del adolescente va disminuyendo. El proceso de morir absorbe la energía de una persona. En algunas visitas, podrá suceder que el niño o el adolescente estén menos deseosos de conversar que en otras. Respeten eso. Todo lo que deben hacer es estar presentes; Dios hará el resto.

7. Recen con el niño o el adolescente si ellos lo desean, pero no insistan. Si ellos lo desean, permítanles rezar sus propias plegarias. No se sorprendan si las plegarias están llenas de encono, hacia "quienquiera" que causó la enfermedad o hacia Dios.

8. Pregunten si pueden volver a visitar a la niña o a la adolescente. Si aceptan, asegúrense de hacerlo, pues no hacerlo puede ser percibido como un rechazo. Que un agente pastoral no cumpla con la vi-

sita prometida puede también ser interpretado como un rechazo por parte de Dios (dado que ustedes
son sus representantes). Esto ocurre especialmente
en el caso del sida, debido al estigma que está aso-
ciado a dicha enfermedad. Pero un sentimiento de
rechazo por parte de Dios es particularmente perjudicial y traumático para cualquier persona (niño,
adolescente o adulto) que debe enfrentar la muerte,
por la causa que sea.

9. Recuerden ejercer la pastoral con los padres del niño o del adolescente. Es una enorme responsabilidad y una tragedia tener un hijo que se está muriendo. Parece tan antinatural. Muchos padres sienten
que se "están volviendo locos". Denles su apoyo y
manifiesten el amor de Dios. Recuerden, están sufriendo inmensamente. Ofrézcanles rezar con ellos,
pero siempre permítanles guiar la oración. Pregúntenles si hay algo que ustedes o la comunidad pueden hacer para ayudarlos, a ellos y a sus familias.
Quizás deban preguntar más de una vez. Acaten las
respuestas que reciban, pero tengan en cuenta que
las respuestas pueden cambiar con el tiempo. Asegúrense de cumplir cualquier promesa que hagan,
especialmente si han prometido regresar o devolver
un llamado. Pruébenles que Dios los ama, no sólo
con palabras, sino, y fundamentalmente, con actos.

10. No olviden a los hermanos del niño lesionado. Es
muy difícil para un niño o un adolescente cuando un
hermano recibe toda la atención. Los hermanos
también sufren cuando un hermano o una hermana
padece una enfermedad terminal, especialmente
cuando la enfermedad tiene visos negativos. Des-

pués de todo, ellos también están afligidos. De modo que a ellos también deben preguntarles si hay algo que necesiten. Los padres pueden sugerir qué pueden hacer ustedes u otros (especialmente los niños) por los hermanos del niño enfermo.

11. Cuando el niño o el adolescente mueran, asegúrense de llamar y visitar a la familia para ofrecerle su ayuda con cualquier disposición u oficio religioso que los padres quieran ofrecer. No se olviden de los hermanos porque ellos también necesitan mucho apoyo, y quizás sus padres no estén en situación de proveérselo.

12. Traten de mantener el contacto con la familia durante, al menos, un año luego de la muerte del niño. Los padres han dicho que reciben mucho apoyo en el momento de la muerte, pero muy poco (sólo dos o tres semanas) después de la muerte. Nuevamente, cuando contacten a la familia, acuérdense de los hermanos. Si los hermanos asisten a una escuela parroquial, asegúrense de que los maestros saben de la muerte del hermano/a y conocen cómo estos niños están enfrentando esta pérdida en el hogar, en la escuela o en el barrio.

Capítulo 11

Conclusión

El impacto de niños agonizantes y sus familias en la Iglesia y en la sociedad

Por mucho que nos desagrade escuchar casos de niños agonizantes, especialmente aquellos de nuestro entorno, niños y adolescentes *mueren* diariamente, incluso en un país privilegiado como el nuestro. En otros países, más pobres, la situación es mucho peor.

Durante años, la Iglesia no ha capacitado a sus seminaristas y agentes pastorales para ejercer la pastoral con estos niños y sus familias. Ello se debió a numerosas razones. En primer lugar, es un ministerio difícil. En segundo lugar, no hay demasiadas personas calificadas para impartir una buena capacitación. En tercer lugar, está la esperanza de que los casos de niños y adolescentes agonizantes constituyan un número reducido y que la mayoría de las comunidades nunca deba afrontar dicha situación. En cuarto lugar, a veces pareciera que la Iglesia ha adoptado la postura de la sociedad en cuanto a que educar y cuidar a los hijos es un asunto privado, no de la comunidad.

A pesar de que muchas comunidades no vivirán la experiencia de tener un niño agonizante en su seno, todas vivirán la experiencia de tener en su seno un niño o un adolescente enfermos. Esto es una realidad.

Dicho esto, si sólo nos preocupamos por los niños enfermos y agonizantes de nuestras comunidades, "perderemos el tren". Hay muchos niños y adolescentes, algunos de ellos no pertenecen a ninguna iglesia, no forman parte de nuestro grupo inmediato, que igualmente son hermanos y hermanas nuestros, miembros del Cuerpo de Cristo. Por ello, la cuarta razón mencionada anteriormente (educar y cuidar a los hijos es únicamente un asunto privado) no puede ser seriamente acogida en un ambiente cristiano.

Naturalmente, los padres tienen el derecho de educar a sus hijos como les parezca más adecuado, moral y éticamente, pero siempre pueden contar con el apoyo de quienes los rodean. Ninguna circunstancia pone de relieve más claramente esta situación que una enfermedad. Por otra parte, existen muchos niños y adolescentes cuyos padres están ausentes (física, emocional o espiritualmente); ¿qué sucede cuando aquéllos se enferman? Nosotros, como Iglesia, debemos ser guías de la sociedad, un ejemplo de cómo tratar a los niños y a los adolescentes, incluso a aquellos que no pertenecen a "nosotros"; porque pertenecen a Dios y eso es todo lo que importa.

Finalmente, todo se resume a Mateo 25:

Entonces dirá el Rey a los de su derecha: "Porque tuve hambre y me disteis de comer; tuve sed y me disteis de beber; era forastero y me acogisteis; estaba desnudo y me vestisteis; estaba enfermo y me visitas-

teis; estaba en la cárcel y vinisteis a verme." Entonces los justos le responderán: "Señor, ¿cuándo te vimos hambriento, y te dimos de comer, o sediento y te dimos de beber? ¿Cuándo te vimos como forastero y te acogimos, o desnudo y te vestimos? ¿Cuándo te vimos enfermo o en la cárcel y fuimos a verte?" Y el Rey les dirá: "En verdad os digo que cuanto hicisteis por uno de estos hermanos míos más pequeños, a por mí lo hicisteis" (Mt 25, 34-40).

BIBLIOGRAFÍA

Alexander, Debra Whiting, *Children Changed by Trauma: A Healing Guide*, Oakland, California, New Harbinger Publications, 1999.

Bluebond-Langner, Myra, *In the Shadow of Illness: Parents and Siblings of the Chronically Ill Child*, Princeton, Nueva Jersey, Princeton University Press, 2000.

Fitzgerald, Helen y Kubler-Ross, Elisabeth, *The Grieving Child: A Parent's Guide*, Nueva York, Simon & Schuster, 1992.

Fitzgerald, Helen, *The Grieving Teen: A Guide for Teenagers and Their Friends*, Nueva York, Turtleback, 2000.

Fowler, James, *Stages of Faith: The Psychology of Human Development*, San Francisco, HarperSan Francisco, 1995. (También realiza un gran trabajo explicando a Piaget y a Erikson).

Huntley, Theresa, *Helping Children Grieve When Someone They Love Dies*, Mineápolis, Augsburg Fortress, 2002.

Keene, Nancy y Prentice, Rachel, *Your Child in the Hospital: A Practical Guide for Parents*, Sebastopol, California, O'Reilly & Associates, 1999.

Komp, Diane, *A Window to Heaven*, Grand Rapids, Zondervan, 1992.

Komp, Diane, *A Child Shall Lead Them*, Nueva York, Steeple Hill, 1993.

Kubler-Ross, Elisabeth, MD., *On Children and Death: How Children and Their Parents Can and Do Cope With Death*, Nueva York, Simon & Schuster, 1997.

Parachin, Victor, *How to Comfort the Grieving: A Dozen Ways to Say "I Care"* (folleto), Liguori, Missouri, Liguori Publications, 1991.

Se terminó de imprimir
en el mes de octubre de 2004
en el Establecimiento Gráfico
LIBRIS S. R. L.
MENDOZA 1523 • (B1824FJI)
LANÚS OESTE
BUENOS AIRES
REPÚBLICA ARGENTINA